SUR LE GANGE
UN OISEAU BLANC

ISBN : 2-85707-864-1

MENAKA DE MAHODAYA

SUR LE GANGE
UN OISEAU BLANC

roman

GUY TRÉDANIEL ÉDITEUR
65, rue Claude-Bernard
75005 PARIS

DU MÊME AUTEUR

Danseuse sacrée, Éditions Robert Laffont, 1990.
Splendeur et magie des fêtes de l'Inde, Éditions Dervy, 1996.
Avec la collaboration de Marc-Louis Questin :
L'âme de la danse indienne, Éditions Dervy, à paraître.

*

* *

*

* *

à Yv Rozec

Il vient de cueillir la rose
Et la serre dans ses dents
Silhouette de lin blanc
Il s'est élevé je n'ose
Penser vers quel firmament
Mais je sais que la fleur rouge
Qui l'enflamme jusqu'au sang
L'incite au parfait élan
De la beauté qui plus ne bouge.

*

* *

Al passe sa main droite sur sa tempe, ce qui chez lui est signe d'exaspération ou de fatigue. L'image d'un bock glacé traverse son esprit et il pense : quelle chaleur ! Si seulement je pouvais boire une bière !

Le voyage a été pénible. Coincé entre deux passagers dans une cabine bondée, il n'a pu bouger pendant des heures. A plusieurs reprises l'avion a été durement secoué. Et il n'a pas dormi.

Il ne peut plus dormir. Il y a des jours et des jours qu'il ne dort plus. Depuis que... Dans le noir, il pense, il ressasse les mêmes idées. Et toujours cette interrogation lancinante qui le vrille comme la roulette du dentiste : pourquoi ? Pourquoi ?

A ses pieds, le sac avachi où il a jeté quelques affaires, des chemises, un jean... Il a oublié son rasoir. Cela n'a pas d'importance. Il en achètera un autre. Demain matin Aziz lui prêtera le sien.

Il n'est pas là, Aziz. Il est en retard. Comme autrefois à Londres. C'était entre eux un constant sujet de querelle. Et puis tout finissait par un éclat de rire. Mais il n'est plus question de rire à présent. Al n'en a plus envie. Peut-être même ne rira-t-il jamais plus.

Son regard parcourt l'immense hangar, fouille la foule qui s'y presse. Une foule dense, mouvante, avec des coiffures, des vêtements comme il n'en a jamais vu. Une fourmilière qui annonce une autre fourmilière, immense, innombrable, celle-là.

Où est Aziz ? Où est donc Aziz ? La tête lui tourne, il vacille sur ses jambes, aperçoit une banquette vide. Il se dirige vers elle, va s'asseoir. Soudain la banquette bouge, s'anime, vit. Elle grouille de cafards aux élytres crissants qui se bousculent, se chevauchent. Al est pris d'une nausée de dégoût. Les yeux fermés, il porte sa main droite à sa tempe. C'est alors qu'une voix connue, joyeuse, s'élève près de lui :

– Al ! C'est moi ! Aziz ! Me voici !

Al fait volte face et voit Aziz

Oui, c'est lui. Vêtu de blanc. Bien en chair, mais vif, nerveux. La crinière noire et abondante. Les yeux pétillant de gaieté dans le visage rond. Il n'a pas changé.

Aziz vient vers lui et le serre dans ses bras.

– Où est ta valise ?

– J'ai ça, dit Al. Et il empoigne son sac.

– Viens !

Al suit Aziz qui joue des coudes dans la foule. Ils débouchent au grand air. La nuit est chaude, des senteurs inconnues assaillent Al, mais ce n'est plus l'atmosphère pesante et concentrée du grand hangar. Al respire un grand coup, regarde les étoiles.

Ils se dirigent vers le parking. Aziz s'arrête brusquement :

– Et voilà ! s'exclame-t-il.

Devant eux une Kawasaki ZXR 750 Stinger luit doucement sous les projecteurs.

– Une créature de rêve... murmure Aziz avec une intonation d'amoureux.

Il enfourche la moto. Al s'assied sur le siège arrière.

Aziz met les gaz.

– On y va carrément ? demande Aziz.

– Si tu veux, répond Al.

Mais il s'en fout.

A toute allure, ils foncent dans la nuit en direction de Delhi.

Une pièce toute blanche. Un tapis sur le sol. Des tablas, les petits tambours de la musique indienne, sont rangés le long des murs.

Ils sont assis en tailleur au centre de la pièce, sur le tapis. Fixées sur un chandelier de cuivre, des bougies les éclairent. Aziz a toujours aimé la lumière des bougies.

A nouveau ils se regardent.

Dans le silence de cette pièce qui toute la journée a résonné du crépitement des tablas, au-dessus du garage où dorment quatre motos superbes — le dernier cri, Al les a vues tout à l'heure et il a serré les lèvres — Aziz est souriant, heureux, quoique un peu tendu. Son impatience naturelle le porterait à interroger son ami, à lui dire que son appel téléphonique de Paris, rompant des années de silence, l'a surpris, à lui demander ce qui l'amène en Inde. Mais une pudeur le retient. Il voit le visage d'Al, ses traits tirés, son teint plombé, les paupières lourdes du sommeil qui le fuit et les fils blancs dans sa chevelure drue. Inquiet soudain, il hésite à parler.

– Tu as faim ?

– Soif.

– Un whisky ?

– De la bière !

– Je n'en ai pas.

– Alors, un whisky sec.

Un serviteur apporte la bouteille. Al la happe au passage, se sert.

Ses yeux se posent sur le cuir tendu et lisse des tablas, reviennent sur Aziz.

Aziz, lui, n'a pas vieilli. Et, Al le sait bien, il a réussi. Il est devenu le plus grand tabliste de l'Inde. Sémillant, sûr de lui, prompt à sauter sur la première proie féminine pourvu qu'elle corresponde à ses canons de beauté — qu'elle soit mince, bien faite et paraisse intelligente (en amour, dit Aziz, l'intelligence est aussi nécessaire que le sel dans le riz) — il parcourt l'Inde, l'Europe et l'Amérique, électrisant, survoltant ses auditoires par ses rythmes. Il est célèbre. Riche. Naguère, Al l'eût jalousé. Maintenant...

Tu te rappelles, voudrait lui dire Aziz auquel le silence pèse, tu te rappelles... Mais il comprend qu'il doit se taire. Alors, pour lui-même, il évoque le passé. Londres, le groupe de jazz-rock fusion Surya — le soleil en sanskrit — créé par Jack Andrews qui avait eu l'idée géniale d'unir les rythmes d'Orient et d'Occident, lui-même aux tablas, Al a la guitare. Des succès formidables. Des publics déchaînés. Leur amitié commune quand ils se découvrirent une même passion, la moto, la vitesse. Leurs courses dans la campagne anglaise. Al lui apprenait ; c'était un professionnel. Mais ce sujet ne devait pas être abordé et sans doute avait-il commis une faute en lui montrant les motos tout à l'heure... Une faute de tact. Oui, une faute grossière à n'en pas douter... Du coup Aziz se sent malheureux. Il épie le visage de son ami, se gronde, se morigène.

– J'ai besoin de toi, dit Al.

Aziz tressaille. Al n'est donc pas fâché ? La situation serait normale ?

– Bien sûr, se hâte-t-il de répondre. De quoi s'agit-il ?

– Je cherche une femme.

Un sourire détend les lèvres d'Aziz. Une femme ? Il aurait dû s'en douter. Ce diable d'Al, toujours à courir... Voilà qui n'est pas bien grave. Mais son sourire se fige aussitôt car le visage d'Al reste dur, fermé sur lui-même.

– Une Indienne ?

– Oui.

– De Delhi ?
– Je ne sais pas.
– Son nom
– Malika.
Aziz sursaute :
– La danseuse ?
– Tu la connais ?
Aziz écarte les bras.
– Qui ne la connaîtrait ? C'est notre plus grande danseuse de Kathak, la danse de l'Inde du Nord. Tu l'as rencontrée ?
– Oui.
– En France ?
Pas de réponse.
– Et... tu veux la revoir ?
Silence encore, mais le regard d'Al parle de lui-même.
– Si elle vit à Delhi, rien n'est plus facile, affirme Aziz sur un ton péremptoire. Tu auras son adresse demain.
Al ferme les yeux, baisse la tête. Il la relève :
– As-tu un coin pour dormir ?
– Viens.
Tout habillé, Al se jette sur le lit et sombre aussitôt dans un sommeil pesant.

Une main le secoue. Il ouvre les yeux. Quel est ce visage ? C'est Aziz, qui tient un papier à la main :

– L'adresse, dit-il.

Al s'assied sur le lit, reprend ses esprits. D'un geste brusque il s'empare du papier et lit : 23bis Akbar Road.

– A moins que tu ne préfères téléphoner...

– Non.

Lentement il se lève.

– Quelle heure est-il ?

– Dix heures. Aziz lui tend une tasse de café. Il la prend d'une main tremblante.

– As-tu un rasoir ?

Il passe dans la salle de bain, fait sa toilette. Aziz s'est mis au travail. De la pièce blanche parviennent les sons saccadés des tablas. Al l'y rejoint. Aziz bloque ses mains trépidantes, lève la tête :

– Je t'emmène ?

– Allons-y.

La porte du garage s'ouvre sur les motos étincelantes.

– Laquelle ? demande Aziz.

Al hausse les épaules :

– Va pour la Ducati.

Aziz sort la moto du garage.

– Tu conduis ? Je t'indiquerai le chemin.

Al secoue négativement la tête.

Ils quittent l'impasse tranquille où demeure Aziz, traversent des rues populeuses, puis les avenues s'élargissent, ornées d'arbres, ponctuées de ronds-points.C'est le quartier résidentiel de New-Delhi. Voici Akbar Road, jalonnée de résidences. Une rue de riches. Aziz s'arrête :

– C'est là.

Al descend de la moto. Un portail. Au-delà, une pelouse que traverse une allée cendrée de rouge, bordée de massifs de fleurs. Au fond, une maison à péristyle.

– Je t'accompagne ? demande Aziz qui ne peut s'empêcher de mettre un brin de malice dans sa voix.

Al ne répond même pas.

– Je t'attends ?

– Non ! dit Al sèchement.

Après un silence, il ajoute :

– S'il le faut, je prendrai un taxi.

Aziz démarre en trombe. Al reste seul dans la rue.

Ses yeux fixent la maison, mais ce n'est pas elle qu'il voit. Il voit une île méditerranéenne près de la côte française, une crique solitaire qu'un homme traverse d'un pas lourd. Cet homme au visage dur qui serre les poings en marchant, dont les pieds nus se crispent dans le sable, qui erre sur les plages comme s'il rôdait autour de la mort, n'ose regarder la mer car il lutte contre l'envie de s'y noyer, de s'y fondre. Soudain il s'immobilise, pénètre dans l'eau. Elle atteint ses genoux, sa taille, sa poitrine.

Cet homme, c'est lui-même, Al.

Pourquoi, à cet instant précis, s'est-il retourné vers la plage ? Sans doute aucun parce qu'il a senti qu'un regard se posait sur lui.

Ce regard croise et capte le sien. Il le dépouille de sa volonté, de sa personne, à la fois le vide et le remplit. Le fascine.

Il sort de l'eau et s'approche de la forme à demi étendue sur le sable. C'est une femme. Appuyée sur un coude, elle le regarde venir. Sa peau est brune, elle porte un maillot noir, sa chevelure dénouée couvre ses épaules.

Ils sont seuls sur la plage.

– Qui êtes-vous ? demande-t-il.

A peine a-t-elle froncé les sourcils :

– Sorry. I don't speak french, répond-elle.

Alors, comme s'il la connaissait depuis toujours, plus exactement comme s'il était déjà conquis, envoûté, il s'assied auprès d'elle et se met à lui parler en anglais.

Al pousse le portail, qui résiste. Il aperçoit une sonnette électrique, la presse. Personne n'apparaît. Il insiste, mais sans effet. Prenant son élan, il saute par-dessus le portail. Le voici dans le jardin.

Les yeux toujours fixés sur la maison, il avance, traverse la pelouse parfaite en suivant l'allée cendrée de rouge que bordent les massifs de fleurs. Il atteint le péristyle, hésite, frappe à la porte. Pas de réponse. En reculant de quelques pas, il s'aperçoit que les rideaux intérieurs sont tirés. La maison semble inhabitée.

Lèvres serrées, il fait le tour de la maison. A l'arrière, un homme bêche dans le jardin. C'est un vieillard. Sa chevelure blanche, une auréole très courte, contraste avec le noir mat de sa peau. Il est presque midi, la chaleur est très forte, et son torse nu, aux muscles avachis, ruisselle de sueur. Il sursaute en voyant Al, pose sa bêche et joint ses mains à la hauteur du front pour le saluer.

– Y a-t-il quelqu'un dans la maison ? demande Al en anglais.

L'homme porte ses mains à ses oreilles et se livre à une mimique compliquée qui tend à expliquer qu'il est sourd. Incertain, Al s'apprête à répéter sa question lorsqu'un oiseau au bec courbe, portant petite aigrette, se pose sur le manche de la bêche délaissée. Le vieillard le voit, un sourire de ravissement éclaire son visage, il salue l'oiseau comme il a salué Al tout à l'heure et, volubile, se met à lui parler dans un langage inconnu. Dépité, Al lui tourne le dos et regarde autour de lui. Son attention est retenue par un battement sec, rythmé, qui provient du fond du jardin où se trouve un pavillon de style oriental. Al se dirige de ce côté. Le battement s'amplifie à mesure qu'il approche. Le son d'une voix lui parvient à présent, qui psalmodie des syllabes étranges :

« KITA TAKA DHA
TI TA DHA A
DHA TI TA DHA

A DHA TI TA
DHA DHIN DHIN DHA »

Par la porte ouverte Al jette un coup d'œil dans le pavillon. Un homme d'une cinquantaine d'années est assis sur le sol. Il se tient droit, l'air concentré, et frappe ses mains comme s'il étudiait un rythme. Ses yeux sont clos. Al heurte la porte du poing :

– Excusez-moi...

La main reste suspendue, l'homme ouvre les yeux.

– Excusez-moi, répète Al. Je cherche Malika.

L'homme s'est levé, vient vers lui.

– Qui êtes-vous ? demande-t-il.

Il est maigre, osseux, son visage est sévère.

– Un ami de Malika.

– Je ne vous connais pas.

La voix est coupante, méfiante.

– C'est possible, rétorque Al qui s'énerve. Il n'empêche que je suis son ami.

– Je connais tous ses amis.

– Il apparaît que non.

– Je répète, qui êtes-vous ?

– Mon nom est Al. Je suis Français. Et vous, qui êtes-vous donc ?

D'emblée, ils ne s'aiment pas. Il y a du défi dans leurs attitudes.

– Je suis son guru, son maître de danse. Quand l'avez-vous rencontrée ?

– Il y a quatre mois.

– Où ?

– En France.

Une lueur rapide passe dans les yeux du maître de danse.

– Asseyez-vous, dit-il sur un ton doucereux. En quoi puis-je vous être utile ? Elle était donc en France...

Al tressaille :

– Ne le saviez-vous pas ?

L'homme voudrait se reprendre, mais c'est trop tard.

– Non, dit-il avec de la colère dans la voix. Je l'ignorais. Elle a disparu quand nous étions à Londres. Moi, son guru, elle m'a laissé. Abandonné. Sans m'avertir.

Al est en éveil. Ces détails le surprennent.

– Elle vous a certainement expliqué sa conduite, avance-t-il d'une voix neutre.

Le maître de danse a dû flairer le piège.

– Non ! réplique-t-il avec force. Je ne l'ai pas revue.

– Depuis Londres ? Depuis quatre mois ?

– Exactement.

Ils se regardent sans aménité. Al devine le mensonge. Son interlocuteur sent qu'il n'est pas dupe.

– Où est-elle ? demande Al avec une fausse désinvolture.

– Je n'en sais rien.

– En Inde ?

Le maître de danse se lève brusquement pour lui signifier qu'il est importun.

Al quitte le pavillon. Dans le jardin le vieillard parle encore à l'oiseau. Le soleil est au zénith. Blanc. Cruel. Des nuages pourtant montent à l'horizon.

Il marche dans Akbar Road à la recherche d'un taxi.

Pourquoi cet homme m'a-t-il menti ? Pourquoi, dès qu'il m'a vu, s'est-il méfié et m'a-t-il pris en grippe ? Dois-je croire cette histoire de Londres ? S'il a dit vrai sur ce point, pourquoi est-elle partie soudain sans l'avertir ?

La similitude des deux situations le trouble. Malika quitte brusquement Londres. Quatre mois plus tard, c'est-à-dire il y a de cela quinze jours, elles disparaît de Paris.

Pourquoi ?

Elle l'aime, il en est sûr. Il connaît les femmes. Il ne les connaît que trop. Certains gestes, certains mots, certains signes ne trompent pas. Ils parlaient de vivre ensemble. Ils échafaudaient des projets. Évoquaient un avenir partagé entre l'Inde et l'Europe.

Alors, pourquoi ?

Al s'arrête dans la rue déserte, serre les poings.

Il revoit la chambre d'hôtel. Vide. L'armoire et la commode. Vides. Pas un mot. Pas un message. C'est impossible ! Que s'est-il passé ?

Elle l'avait sauvé. Ramené à la vie.

Lorsque sous la puissance de son regard il était remonté sur la plage, lorsqu'il s'était mis à lui parler en anglais, il lui avait tout dit. Il ne la connaissait pas ? ; c'était une étrangère. Mais son regard lui enjoignait de parler et il avait obéi. Il n'avait rien caché, il avait raconté sa vie, toute sa vie, comme il ne l'avait jamais fait avec personne. Il lui avait expliqué pourquoi il voulait mourir.

Silencieuse, elle l'avait écouté.

Il avait parlé longtemps, pendant des heures sans doute. Il ne savait plus. Le temps était aboli.

Le soleil déclinait lorsqu'ils avaient quitté la crique.

Il lui avait pris la main, comme un enfant.

Taxi !

Aziz n'a pas besoin d'explications pour comprendre que ça ne va pas. Il lui suffit de voir les traits décomposés de son ami, sa pâleur blême. Décidément, il tient à cette femme, pense-t-il.

– Elle n'était pas chez elle, dit Al. Et dieu seul sait où je pourrais la trouver.

En quelques phrases il raconte sa visite autour de la maison, sa rencontre avec le maître de danse.

– Es-tu certain qu'elle soit en Inde ? demande Aziz.

– Non. Elle m'a dit deux choses : je suis une danseuse et j'habite Delhi. Hormis cela, je ne sais rien. Alors, j'ai pris l'avion pour Delhi.

Aziz hoche la tête :

– Je le connais, ton maître de danse. Il s'appelle Ustad Vasudev Maharaj et il est excellent. Mais il n'est pas facile... Il faut trouver le moyen de se renseigner... Ecoute. Qui dit danseuse, dit maître de danse et musiciens. Malika a son orchestre et j'ai rencontré son joueur de tabla. Laisse-moi aller à sa recherche. Peut-être me dira-t-il ce que Vasudev Maharaj a voulu te cacher.

Aziz est parti. Commence l'attente.

Trente cinq ans. Trente cinq ans d'essais, d'espoirs déçus, de bêtises, d'erreurs, d'échecs. Il lui a fallu trente cinq ans pour atteindre le port, pour résoudre enfin ses problèmes. Il le croyait du moins. Mais résout-on jamais tous les problèmes ? L'équilibre, le bonheur qu'il tenait enfin dans sa main ont subitement disparu.

Un mirage dissipé. Une fleur soudain flétrie.

Et si Malika était morte ?

Il n'y avait pas pensé...

La mort expliquerait son absence, car il ne peut accepter l'idée que Malika vivante l'ait abandonné.

Cette pensée de Malika morte l'envahit, le terrasse. Puis il la rejette. Malika morte ? Impossible. Elle est pleine de santé, de vie. Et puis, cela se saurait. Malika ne peut mourir sans que la terre tremble. Malika morte, c'est la provocation. Le scandale. L'impossibilité absolue. Malika ne peut pas mourir.

Il erre dans l'appartement d'Aziz, tiraillé par ses doutes, tenaillé par son angoisse. Il s'assied devant une table, feuillette machinalement un magazine, le “ Weekly of India”, s'arrête soudain : un reportage sur Malika, en quatre pages !

C'est elle. Elle dans la splendeur de sa beauté, de son sari.

Les doigts tremblants, Al tourne les pages, mais l'article ne lui apprend rien sur Malika. Eloges, admiration – et technique de danse.

Il scrute la photographie comme s'il y cherchait une réponse, comme s'il l'adjurait de parler. Mais l'immobilité et le silence de l'image lui deviennent insupportables et il referme brutalement la revue.

Un pas rapide dans l'escalier. Aziz. Il est excité, il a hâte de parler :

– Je l'ai vu, interrogé. Il y a deux semaines, Malika est rentrée à Delhi. Vasudev Maharaj était furieux. Il lui a violemment reproché son départ de Londres, puis son silence. On ne traite pas ainsi son maître de danse ! criait-il. Elle se défendait en alléguant le besoin, après une tournée éreintante, de se détendre, de se reprendre dans la solitude. De fait, elle paraissait troublée, fatiguée. Mais voici le plus important : elle a quitté presque aussitôt Delhi pour Simla, où elle possède un bungalow. Elle s'y repose.

– Simla ? Qu'est-ce que c'est ? demande Al.

– Une station de montagne dans l'Himalaya, au nord de Delhi. Célèbre. Les Anglais y montaient autrefois.

– J'y vais !

– Je ne peux pas t'accompagner, j'ai trop à faire, dit Aziz. Je donne un concert après-demain.

– Ça ne fait rien. C'est loin ?

– Deux cent vingt miles. Environ trois cent cinquante kilomètres. Dont quatre vingt en montagne.

– Comment y va-t-on ?

– Par le train, ça n'en finit pas. Le mieux, c'est la voiture. Je n'en ai pas. Mais...

– Mais ?

Aziz a un sourire juvénile. L'idée l'amuse :

– Tu veux une moto ?

Al se met à rire :

– Pourquoi pas ? Ça me rappellera nos courses d'autrefois. Laquelle ?

– Prends la Yamaha Ténéré. Elle n'est pas très rapide. Mais fine. Puissante. En montagne tu l'apprécieras.

– D'accord, dit Al. Je la prends.

– Je vais te montrer la route.

Aziz déploie une carte :

– Tu sors de Delhi. Je t'accompagnerai jusqu'au grand pont. Après, c'est simple. La route du Nord. Sonepat. Panipat. Karnal. Ambala. Kalka. Là, ça commence à grimper. C'est ce qu'on appelle les Siwalik Hills. Les premiers contreforts de l'Himalaya. La route monte en corniche. Il y a des bois de pins. Tu atteins un croisement. A gauche, la route de Kasauli, une autre station de montagne. Toi, tu files tout droit. Sur Simla. Altitude, 2700 mètres. Il y a des hôtels. Tu trouveras partout de l'essence. Aucun problème. Pars tôt, demain matin. Il fera chaud.

– Tu as un casque ?

– Oui, j'ai un jet shoei. Par cette chaleur tu risques d'étouffer, mais c'est plus prudent. Si la mousson crève, arrête-toi. Ça tombe si fort que tu ne pourras plus conduire. Visibilité nulle. Des trombes d'eau.

– A ce point ?

– Mets tes affaires dans cette mallette. Elles seront à l'abri de la poussière et de la pluie.

– D'accord.

– Allez, viens ! On va au restaurant !

Ils ont dîné en vieux copains. Ils ont plaisanté et bu. Al s'est détendu. Il était bien. Il s'est couché tôt. Maintenant il rêve.

Le ring est entouré d'une foule grondante. Il est perdu dans cette foule et la fumée des cigares lui donne envie de vomir. Mais sa nausée s'arrête au seuil de sa conscience, car tous ses sens, toute son attention, toute son âme se portent sur le rectangle brûlé de lumière où deux hommes combattent. Le plus trapu, le plus petit, est en difficulté. Il esquive, cède du terrain, flanche. Le sang coule de son arcade sourcilière. Il halète et souffre. Un coup de gong sépare les deux adversaires. Al n'a d'attention que pour le boxeur trapu. On l'entraîne dans un coin, on le lave, on le masse, on l'évente, on le fait boire. Au coup de gong on le pousse à nouveau au centre du ring. Corps à corps. Le boxeur trapu tombe sur un genou. Se relève. Tombe à nouveau. Se relève encore. Autre corps à corps. Soudain — surprise ! Le grand boxeur s'écroule. Un... Deux... Neuf ! Il est au tapis. Cet homme sur le ring dont l'arbitre lève le bras en signe de victoire, cet homme au nez cassé, au visage martelé, couvert de sueur et de sang, Al sait que cet homme le cherche des yeux dans la foule. Car cet homme qui mourra bientôt, assommé d'un coup à la tempe, comme un bœuf, c'est son père.

Al se réveille en sursaut. Ce rêve du père triomphant, il le connaît. C'est celui qu'il faisait parfois, la veille des grandes courses, à Charade, au Castellet, à Nogaro. Quand le visage du boxeur obstiné surgissait des ombres nocturnes pour apaiser sa nervosité, dissiper son angoisse, sa crainte d'être malchanceux, de rater.

Le visage du père a disparu avec le rêve. Lui succède un autre visage, celui d'une femme bientôt rejointe, retrouvée.

Al se rendort, heureux. Une victoire l'attend demain.

C'est le matin. Aziz le réveille, lui tend son café :

– Dès que tu es prêt, on part!

Ils ont sorti les motos du garage. Elles ronronnent comme si elles étaient contentes d'aller se promener.

– Neuf heures déjà, dit Aziz. Tu dormais si bien. Je n'ai pas eu le cœur de t'appeler plus tôt.

En selle! Il est temps d'attaquer la route.

Aziz démarre en premier, Al le suit à courte distance. Ils rejoignent le boulevard qui longe la ville à l'est, parallèlement à la rivière Yamuna. De la main Aziz fait signe à Al de monter à sa hauteur et lui explique :

– A gauche, le Fort Rouge, la résidence des Empereurs moghols. A droite, Rajgat : c'est là que nous incinérons nos grands hommes : Gandhi, Nehru...

Puis il reprend les devants.

Le soleil monte sur son orbe. S'il ne fait pas encore chaud, ce n'est déjà plus la fraîcheur du matin. Sur le boulevard la circulation est fluide, mais de longues files de véhicules encombrent, plus loin, le pont qui franchit la rivière. Ils l'atteignent. Aziz s'arrête :

– Bonne chance. Au-delà du pont, tu vas tout droit.

– Salut, vieux. Merci. Je t'appellerai.

Aziz s'éloigne. Al est seul.

Il s'engage sur le pont. Dans les deux sens c'est la cohue des camions, des taxis, des autobus, des rickshaws, des bicyclettes, des chars à bœufs, des voitures à cheval, des piétons, des charrettes tirées à bras d'homme. Juste devant Al un camion chargé de tiges de cannes à sucre, dont les extrémités balaient négligemment le sol, occupe toute la largeur de la voie. On avance au pas. Impossible d'accélérer. Inutile de s'énerver. Prends ton mal en patience, Al, après le pont ça se dégagera. Il profite de cette lenteur forcée pour observer le spectacle. Dans son dos la vieille ville, ses portes et ses remparts. En contrebas, la Yamuna roule ses eaux calmes. Et tout autour de lui, mobile, sonore, klaxonnant, couinant, pétaradant, carillonnant, criant, meuglant, hennissant, un autre fleuve coule, celui des véhicules et des voitures dans lequel il est immergé. Certains détails l'amusent, les cabines peinturlurées des autobus et des camions, la forme étrange de telle voiture à cheval, étroite, toute en hauteur, la décontraction des conducteurs de bœufs ou de buffles qui dans ce tintamarre rêvassent ou dorment, couchés sur le timon de leur char.

Voici la fin du pont. La cohue se dilue, s'éparpille. Al se carre sur sa moto, accélère et commence à louvoyer entre les camions.

Conduire sur cette route n'est pas facile car, à moins de lambiner d'exaspérante façon, il faut dépasser des convois de chars à bœufs ou des camions très lents, alors que les véhicules venant d'en face font preuve d'une extrême fantaisie ; ils doublent dans des conditions suicidaires et occupent obstinément le milieu de la route pour ne se ranger qu'au tout dernier moment. Mais Al en a vu d'autres. Il exécute son slalom en virtuose et en éprouve de l'amusement.

Rappelle-toi, Al. La moto est une commodité ou un jeu, n'aie garde de l'oublier. Une façon de se mouvoir ou de s'amuser, rien d'autre. Il t'est interdit de penser qu'elle puisse être quelque chose d'autre.

Tu l'as payé trop cher.

Elle t'a séduit, dominé, asservi au point que tu ne puisses plus t'en passer. Une obsession. Une drogue. Sans t'en rendre compte, tu étais devenu un homme-moto. Jusqu'à ce jour où dans un dictionnaire tu es tombé par hasard sur une surprise, un Centaure, l'homme au corps de cheval. Alors tu as ri. Je suis le Centaure mécanique, as-tu pensé, l'homme au corps de moto ! Tu t'en es glorifié. Tu as montré cette image à tes copains. Et tu as fait peindre sur le réservoir de ta Yamaha l'image d'un Centaure moderne à moitié homme et à moitié moto.

Pauvre innocent... Tu célébrais ta servitude. Tu acclamais ton aveuglement.

Plus vite ! Plus vite... Vaincre ! Gagner !

De nervosité Al fait un geste brusque. Sa moto dévie. Il frôle un camion.

Imbécile ! Calme-toi ! Fais attention !

Passé quelques bourgades, il a débouché dans une plaine qui s'étend à perte de vue. De part et d'autre de la route commence une campagne monotone parsemée de pauvres villages en briques ou terre battue. Les champs sont secs, blancs de poussière ; des miroitements de lumière donnent l'illusion de nappes d'eau. La route est dégagée. Il peut aller plus vite.

Le plus fort... Le plus fort, oui, c'est l'abbé Legrand... C'est un curé qui lui a donné ce goût. Un curé, oui... Une histoire à mourir de rire...

Il avait un visage large et rouge, des oreilles écartées, de grands pieds et de grandes mains. Ses vêtements étaient luisants d'usure. Mais c'était un type épatant. Il avait des yeux verts et la passion de la moto.

De la moto et de la musique.

Sa moto ? Un chef-d'œuvre. Une vieille BMW achetée d'occasion qui tenait par miracle avec des fils de fer. Mais nettoyée, astiquée, bichonnée, comme une mère prend soin de son gosse. Et tout ça est arrivé à cause du catéchisme.

C'était à Rouen, où il y a tant d'églises. La mère d'Al l'envoyait le mercredi au catéchisme, à la cathédrale Notre-Dame près de la place du Vieux Marché où les Anglais ont brûlé Jeanne d'Arc. Un jour, l'abbé Legrand fit chanter les enfants. Quand vint le tour d'Al, il resta bouche bée. Al avait une voix de soprano équilibrée, sensible, magnifique. Une voix d'adolescent d'une pureté remarquable avec une couleur chaude, ronde, cuivrée. Un ravissement.

L'abbé Legrand était devenu tout pâle. Il n'en finissait pas de reprendre ses couleurs.

Enfourchant sa moto, il avait fait visite à la mère d'Al :

– Madame, votre enfant a une voix d'or. Je voudrais qu'il chante dans ma chorale.

La mère avait pris son temps. Après s'être essuyé les mains à son tablier, elle avait demandé :

– Qu'est ce que ça veut dire, votre chorale ?

– Elle chante à la grand messe, le dimanche.

– Devant l'évêque ?

– Devant Monseigneur l'Archevêque, oui. Il faudrait que vous me prêtiez votre fils une heure par semaine, le jeudi soir, pour les répétitions.

– Ah bon ? Eh bien, Monsieur le Curé, je vais en parler au père.

Il n'avait pas d'atomes particulièrement crochus avec l'Église, le père d'Al, il était plutôt anticlérical. Mais la démarche de l'abbé le flatta. On est toujours heureux d'apprendre que son fils a une voix d'or ; on s'imagine qu'on y est pour quelque chose. Décidément, il y avait de la ressource artistique dans la famille. Lui-même l'avait ouverte à l'art, puisque la boxe est un art. Tout le monde ne parle-t-il pas de l'art de la boxe ? Et voici que son fils s'engouffrait dans la brèche en apportant la musique. C'était encourageant. Mais il fit un peu le difficile, pour la forme autant que par commodité. Qui l'amènerait aux répétitions, ce gamin ? Ni la mère, ni lui-même n'en auraient le temps. Qu'à cela ne tienne, l'abbé s'offrit à venir chercher Al et à le ramener chez lui. Les parents apprécièrent que l'Église elle-même se dérangeât pour leur rejeton. Ils acceptèrent. C'est ainsi qu'Al s'assit pour la première fois sur une moto.

Il attendait le jeudi soir avec impatience, épiait les rumeurs de la rue. A sept heures et demie juste, quand il entendait le bruit de la BMW, il ouvrait la porte, se ruait sur le trottoir, sautait sur le siège arrière et s'accrochait au blouson de l'abbé.

– Tu es prêt, Alexandre ? Lui demandait celui-ci (car à cette époque on l'appelait encore Alexandre). On se paie une petite course ?

– Oh oui, monsieur l'abbé, répondait Al, ravi. La moto filait à vive allure et, fermant les yeux, il ronronnait de bonheur. C'était si bon de sentir le vent de la course sur sa figure, même les gouttes de pluie quand il faisait mauvais temps, si excitant de se pencher dans les virages, si drôle de cahoter sur les pavés de la vieille ville. Il eût voulu que cela ne se terminât jamais.

Et chaque semaine c'était le même plaisir. L'hiver, quand il neigeait, les rues étaient toutes blanches sous les réverbères, les flocons tourbillonnaient autour d'eux, les pneus crissaient, le vent lui coupait le souffle. L'été, ils passaient devant les terrasses des cafés et Al se disait que tous ces gens attablés le regardaient et l'admiraient.

Un jour, ils eurent une panne. Accroupi devant la moto, il observa l'abbé qui démontait le carburateur. Il posa des questions, se passionna. L'abbé lui enseigna le peu qu'il savait de mécanique.

Il était brave et drôle, l'abbé. Il s'était pris d'amitié pour Al et aimait plaisanter avec lui :

– Al, il y a grand vent, ce soir. Sais-tu pourquoi nous ne pouvons aller plus vite ?

– Non.

– Parce que j'ai les oreilles face à la route !

Mais tout ça c'est l'enfance, le passé, ça n'existe plus. Ce qui compte, c'est aujourd'hui. Et aujourd'hui il n'y a qu'une chose qui compte : il va retrouver Malika.

Onze heures. Voici deux heures qu'il est parti. Le soleil est brûlant. Il a déjà traversé plusieurs villes, Sonepat, Panipat, en suivant la rue centrale bordée d'immeubles bas recouverts d'enseignes et d'affiches auxquelles il ne comprend rien car tout cela est écrit dans un alphabet inconnu, des grosses lettres noires réunies par un trait horizontal, dans un désordre indescriptible de charrettes, de vélos, de piétons, sous un réseau serré de fils électriques qui se croisent dans tous les sens. A Karnal il a tellement soif qu'il s'arrête près de la gare dans une échoppe où il commande du thé. Car Aziz lui a bien recommandé de ne pas boire de l'eau — sinon, tôt ou tard, mon vieux, tu te retrouveras avec une colique de tous les diables — seulement du thé, ou du soda, ou du Coca Cola, à moins que ça ne soit du Pepsi Cola. Vraiment, il est gentil, Aziz. Un vrai copain. Il lui a prêté la moto, avancé de l'argent, lui a donné des tas d'explications et de conseils. Et surtout il a découvert que Malika est à Simla. Donc Al s'arrête près d'une gare, dans un bistro — si l'on peut appeler ainsi une baraque mal foutue couverte de planches et de morceaux de tôle — il s'assied sur une chaise boiteuse devant une table branlante, et maintenant il sirote son thé au lait. Ça lui fait du bien. Autour de lui il y a des hommes, assis eux aussi, on dirait des petits commerçants, des paysans, qui le regardent, avec bienveillance d'ailleurs. A son tour il observe leurs gestes — leur façon par exemple de boire leur thé dans la soucoupe — et leurs faces brunes burinées par le soleil. A un moment il lève les yeux en direction de la gare. Et que voit-il ? Une demi douzaine d'oiseaux, gros comme des dindons, des vautours assurément — leur cou pelé, leur bec courbe et leur plumage noir et blanc ne laissent aucun doute là-dessus — qui, perchés sur le réservoir à eau des locomotives, le contemplent avec attention. Ça lui fait un drôle d'effet de voir ces volatiles peu sympathiques ainsi postés sur un réservoir, en pleine ville. Mais autour de lui les hommes paraissent trouver que c'est normal. Ils y sont habitués.

Curieux pays.

Al a terminé son thé, il se lève et, pour se dégourdir les jambes, se dirige vers la gare. Une multitude de gens sont assis sur le quai, attendant le train. Ils bavardent, dorment, font leur cuisine, astiquent des plats d'aluminium ou de cuivre, mangent des galettes ou boivent du thé. Les enfants courent de tous côtés, grimpent sur les sacs, les ballots, les cantines de fer peintes de couleurs vives. Al a l'impression qu'au fond pour tous ces gens le train ça n'a pas tellement d'importance, qu'en tout cas ils sont prêts — ou résignés — à l'attendre pendant des heures. En sortant, près de la porte, il voit une notice écrite en belles lettres moulées, dans la langue inconnue et en anglais. Le chef de gare signale à toutes fins utiles, mais apparemment sans trop croire que cela soit utile, que quatre corps non-identifiés ont été trouvés sur la voie ferrée entre Karnal et la ville suivante. Pour chacun d'eux il y a une brève description : homme ou femme, âge, couleur du vêtement. Pour l'un d'entre eux, deux mots laconiques : déchiqueté, non-reconnaissable. Cela aussi lui fait un drôle d'effet.

Curieux pays vraiment.

Il repart et recommence à rouler dans la plaine, par cette torride chaleur. Des tourbillons de poussière brûlante s'élèvent des champs calcinés d'alentour et il doit lutter contre une somnolence sournoise. Il plisse ses paupières pour filtrer l'éclat de la lumière. Aziz a tout prévu sauf les lunettes de soleil et Al se demande où il pourra en trouver.

Il en achète une paire à Ambala où il fait aussi le plein d'essence. Bien qu'elles soient de qualité médiocre, elles lui apportent un net réconfort. Mais l'haleine des terres brûlées devient insupportable, elle lui grille le visage. Il étouffe sous son casque et, voyant au loin un bouquet d'arbres, décide de s'y reposer un moment.

Ce sont des arbres très vieux et de proportions considérables, aux racines apparentes et noueuses ; certaines branches s'enfoncent en terre pour former des troncs secondaires. Un autre qu'Al reconnaîtrait peut-être des banians ; il n'en a jamais vu, en image ou réalité, et il ne peut que s'ébahir devant leur foisonnante majesté.

Il est là, étendu dans leur ombre, goûtant une relative fraîcheur, lorsque son attention est attirée par une forme entre deux racines. Elle ne bouge pas, cette forme, elle est strictement immobile, rigide, et pourtant elle est vivante, il le sent. D'ailleurs, elle le regarde. Fort intrigué, il se lève, s'approche.

C'est un homme, un vieillard. Ses cheveux blancs sont noués en chignon au-dessus de son crâne, des raies de couleurs strient son front, il est presque nu. Qu'est-ce que c'est ? Se demande Al, étonné. Un ermite ? Au catéchisme, il y a bien longtemps de cela, l'abbé Legrand lui a parlé des ermites et il a dû lire quelque part qu'en Inde on en voit beaucoup. Mais ses réflexions s'arrêtent là, car le regard du vieil homme a plongé dans le sien. Al n'y lit ni mépris, ni cruauté, ni haine. Mais il n'y a personne dedans, il est vide, et froid, coupant comme un scalpel. Le temps d'un éclair, Al sent que ce regard vide l'absorbe, le dépouille de sa propre substance, de sa personne. Il tremble soudain. Dans cette solitude, ce silence, ce tête à tête avec le vieillard muet et vide est insoutenable. Il a peur, recule et d'un bond saute sur sa moto.

Le vieillard n'a pas fait un geste.

Il a roulé vite pour calmer sa nervosité. Au fond de la plaine ont surgi les montagnes. Il a commencé à grimper. A mesure qu'il prenait de la hauteur l'air devenait plus frais. Il en a éprouvé une vive jouissance. Sur sa droite, au-delà de la première vallée, les crêtes des collines déferlaient en vagues vertes jusqu'à l'horizon.

Il pénètre dans Simla. Après le grouillement humain des villes qu'il vient de traverser, l'ancienne capitale d'été des vice-rois lui parait peu peuplée, presque déserte. Aziz l'avait averti : Simla n'est plus ce qu'elle était. Tu verras : un vêtement trop grand sur un corps trop maigre. Mais Al ne s'y attarde pas. Une seule pensée l'habite : où est Malika? Comment la trouver? Lentement, au ralenti, il parcourt un boulevard, longe de vastes édifices administratifs à l'aspect mélancolique, tourne sur une place. Il s'aperçoit que la ville, bâtie sur plusieurs collines, est complexe. Rôder ainsi n'a pas de sens. Que faire? Aller au Post Office, bien sûr! Un passant lui indique le chemin. Il plonge dans un bazar, dépasse une église, l'hôtel de ville. Voici la Poste. Il attache la moto avec une chaîne — Aziz l'a mis en garde contre les voleurs — entre dans l'édifice. Tout d'un coup s'arrête, embarrassé. Il vient de réaliser qu'il ne connaît pas le nom de famille de Malika. Pour lui elle est Malika, simplement, c'est tout et, ça suffit. Au diable! On verra bien! Prudent quand même, il arrange une belle phrase en anglais dans sa tête, s'avance vers un guichet. Il y a des personnes avant lui, il faut attendre. Que c'est long, ils n'en finissent pas ! Son tour enfin :

– Je suis un ami de la grande danseuse Malika. Vous... Vous la connaissez ?

L'employé sourit.

– Yes, Sir ! Qui ne la connaît !

La même réponse qu'Aziz...

– Je viens de Delhi pour la voir. Mais, stupidement, j'ai perdu son adresse. Pouvez-vous me la donner ?

– C'est facile, Sir. Elle est dans l'annuaire. La voici : Mountview, Combermere Ravine. Voulez-vous lui téléphoner ?

Al tressaille, hésite. Entendre sa voix, là, tout de suite... Non. Il veut la voir. La voir d'abord avant de parler.

– C'est inutile. Combermere Ravine est-il loin d'ici ?

– Pas très loin, Sir. Vous suivez le Mall jusqu'au U.S. Club. Après le Club commence Combermere. Mountview est dans le coin.

– Merci !

Le Mall, l'artère centrale de Simla le mène à l'U.S. Club. Ensuite, ça se complique. Il erre dans un quartier résidentiel où les maisons, qu'entourent des pelouses, se cachent derrière des murs. Personne. Il fait beau. La vue est superbe : le moutonnement des vallées et au loin — le temps est clair — les neiges de l'Himalaya. Al va et vient. Il est sur le point de perdre patience quand son regard se pose sur un nom : Mountview.

C'est là.

Il arrête son moteur.

Un portail dans un mur de briques, une grande maison en bois surplombant la vallée.

Malika est là.

Al avale sa salive.

Pourquoi est-elle partie ! Pourquoi l'a-t-elle quittée ? Comment va-t-elle l'accueillir ? Que va-t-elle lui dire ?

Il sonne. Rien ne bouge. Puis un petit homme sort de la maison et se dirige vers le portail. Il est vêtu de vert. Son visage est basané. Ses yeux noirs brillent d'intelligence.

– C'est bien la maison de... Miss Malika ?

L'homme lui répond dans une langue inconnue. Al n'en retient que le nom de Malika.

– Parlez-vous anglais ?

Nouveau discours tout aussi incompréhensible. Al se sent pris d'exaspération.

– Ma-li-ka, Ma-li-ka, répète-t-il en détachant les syllabes. Et il désigne la maison.

Non... Non... l'homme fait des signes de dénégation. Il saisit Al par la main et l'entraîne vers la maison voisine. Le premier réflexe d'Al est de résister, puis il pense que mieux vaut se laisser faire. Il suit le gardien.

Celui-ci ouvre le portail de cette maison et, tenant toujours Al par la main, gravit le perron, frappe à la porte. Paraît un vieux domestique enturbanné. Le petit homme lui parle avec volubilité en désignant Al et s'en va. Al s'adresse au domestique :

– Comprenez-vous l'anglais ?

– Oui, Sahib.

– Je cherche la maison de Malika. Est-ce celle-ci ?

– Non, Sahib, c'est la maison voisine.

A ce moment une tenture bouge, un homme apparaît. Il est grand, vêtu avec élégance.

– De quoi s'agit-il ?

Al le salue de la tête :

– Je cherche Malika. On m'a conduit ici.

– Ce n'est pas sa maison.

– C'est donc bien celle d'à côté ?

– Oui.

Le vieux serviteur intervient alors. S'adressant à son maître, sans doute lui explique-t-il — une fois de plus, Al ne comprend pas un traître mot de ce qui est dit — l'intervention du gardien de la maison de Malika.

– Il y a malentendu, dit l'homme.

Pressé, Al hoche la tête.

– En effet. Excusez-moi de vous avoir dérangé.

Il est déjà sur le pas de la porte.

– Où allez-vous ?

– Mais... à côté.

– Pour y voir Malika ?

– Oui.
– C'est inutile. Elle n'y est pas.
Al se fige sur place.
– Mais... elle est à Simla ?
– Non.
– On m'a affirmé...
– Elle était à Simla, précise l'homme. Elle n'y est plus. Elle a quitté Simla.
Ces paroles ont sur Al un effet terrible. Il pâlit, vacille comme s'il était pris de vertige. L'homme ne peut manquer de noter son trouble. Il dévisage Al avec attention :
– Qui êtes-vous, Monsieur ?
Al respire avec peine :
– Je suis, dit-il à voix basse, un ami de Malika.
Un silence.
– Je suis également son ami, dit l'homme d'une voix plus douce. Venez vous asseoir un instant. Vous paraissez fatigué.
Il écarte la tenture, s'efface et invite Al à passer.
Ils traversent un salon plongé dans la pénombre, débouchent dans un jardin en terrasse qui surplombe la vallée. Au loin les neiges éternelles.
Une table chargée de livres, deux fauteuils. Un gros chien est couché sous la table, museau entre les pattes. Il lève ses yeux dorés sur Al, remue la queue, se rendort.
– Asseyez-vous. Que diriez-vous d'une tasse de thé ?... Ou d'un whisky ?
– Un whisky, répond Al d'une voix blanche.
La tête lui tourne. Il a du mal à reprendre ses esprits. La déception est si forte.
Il était sûr de voir Malika.
Son regard s'arrête sur son hôte. Il a la cinquantaine. Un visage sensible et viril. Le teint brun. Un corps puissant. De cet homme se dégage une impression d'intelligence et de calme. Des cheveux poivre et sel, très courts, accentuent son aspect rassurant.
– Mon nom est Desaï. T.K. Desaï.
– Le mien est Al. Al seulement. Cela suffit.
Desaï paraît quelque peu surpris.

– D'où venez-vous ?
– De Delhi.
– En moto, je crois ? J'ai vu votre engin sur la route. Une belle pièce. Au fait, je vais la faire remiser au garage. Cela vaut mieux.
Il donne un ordre au vieux domestique qui leur apporte le whisky.
– Où est Malika ? Demande soudain Al d'une voix forte, presque autoritaire.
– A Delhi.
– Voulez-vous dire chez elle, à Akbar Road ?
– Sans doute.
– Elle n'y est pas. Je m'y suis rendu hier matin. La maison était vide, fermée.
Desaï s'arrête de verser le whisky dans le verre d'Al et regarde celui-ci fixement.
– Vraiment ? En êtes-vous certain ?
– Certain, dit Al. Je la croyais ici.
– Elle a quitté Simla il y a trois jours. Pour Delhi, m'a-t-elle précisé. Nous nous sommes dit au revoir. Peut-être s'est-elle arrêtée en route ? Mais où ? Je ne vois pas. Pourquoi ne pas vérifier si aujourd'hui elle n'est pas chez elle ? Excusez-moi, je vais téléphoner.
Desaï rentre dans la maison. Pensif, Al le regarde s'éloigner.
Cet homme ment-il ? Dissimule-t-il la vérité ?
Il porte le verre à ses lèvres, boit une longue gorgée.
Le soleil de cinq heures brille sur les collines, tiède, bienfaisant. Tout est calme. On dirait que des nappes de silence montent, comme un brouillard, de la vallée. Là-bas luisent les neiges. Le chien rêve en dormant. Il agite parfois ses oreilles.
Desaï revient, l'air soucieux :
– Akbar Road ne répond pas .
Il se laisse tomber dans son fauteuil, saisit son verre :
– Je ne comprends pas.
Une même inquiétude les a saisis.
– Un accident sur la route ? Pense Al à haute voix.
– Impossible. Cela se saurait. J'appellerai à nouveau ce soir.

En silence, ils se regardent.

– Depuis quand connaissez-vous Malika ? Demande soudain Desaï.

– Quatre mois.

Al perçoit un raidissement, une tension chez son interlocuteur. Serait-ce le fruit de son imagination ? Non. C'est une tension infime, et sans doute maîtrisée, cachée, mais bien réelle. Il ne s'est pas trompé. Dès lors il est en alerte, son regard ne lâche plus Desaï.

– Vous l'avez donc rencontrée pendant sa tournée de danse en Europe ?

– Oui.

– A Londres ?

– Non.

– Puis-je vous demander où ?

– En France.

– Vous êtes Français ?

– Oui.

– Je ne savais pas qu'elle avait dansé en France.

– Elle n'y a pas dansé.

– Mais alors ?

– Elle visitait la France.

– Et... Vous l'avez rencontrée... par hasard ?

– Oui.

Un silence.

Al, d'une voix coupante :

– Est-ce tout ce que vous voulez savoir ?

Il regrette aussitôt cette dureté dans le ton, car il a blessé Desaï. Celui-ci s'est tassé dans son siège, son regard a vacillé.

– Ai-je été indiscret ? Demande-t-il.

– Non.

Mais ce seul mot signifie qu'Al exclut d'autres questions.

Les cubes de glace tintent dans le verre de Desaï.

Il tapote du bout des doigts sur un livre posé sur la table :

– Un autre whisky ? Parlons de moi. J'habite Simla. Calme et solitude. J'ai été soldat. Je suis écrivain.

Al apprécie à sa juste valeur le changement à vue. Il est aussi surpris :

– Soldat ?

– J'ai été blessé lors de la guerre contre le Pakistan, commente Desaï. Alors j'ai arrêté les frais, changé de carrière. J'ai fait ce que je voulais : écrire.

– Qu'écrivez-vous ?

– Un peu de tout. Des études sur notre monde actuel. Des romans. Des livres d'histoire.

Il lève la main en souriant :

– La complexité de l'homme et du cosmos est telle qu'il n'y a aucune raison de disserter sur eux. Il faut être fou pour écrire. C'est difficile. Ça n'en finit pas. Ça vous dévore. On ne vit plus, on écrit.

Al pense : il est plutôt sympa, ce type. Mais il reste sur ses gardes. Une question lui échappe pourtant, qu'il ne saurait justifier, il n'a pas le temps de la retenir :

– Vous êtes heureux ?

Desaï est pris au dépourvu. C'est un regard de désarroi, presque tragique, qui se lève sur Al. Le regard d'un homme saisi sur le vif au-delà de ses habituelles défenses.

– Oui. Plutôt... C'est selon...

Il prend son verre, s'écric :

– Buvons à Dieu Tout Puissant, au monde, aux femmes et aux livres.

Il vide son verre cul sec. Al l'imite.

– Un autre whisky ?

De l'autre côté de la table, Desaï le dévisage avec une intensité douloureuse. Comme si des questions lui brûlaient les lèvres.

Qu'y a-t-il dans ses yeux ? Du soupçon ? De la haine ? De l'affection ?

Non, rien de tout cela.

Un rayon de soleil jaune, horizontal, atteint la bouteille de whisky. Elle flambe. Al s'ébroue :

– Le soir va tomber, dit-il. Il faut que je trouve un hôtel. Pouvez-vous m'en indiquer un ? Je repartirai demain pour Delhi.

Desaï se redresse, retrouve son aisance et ses bonnes manières.

– Il n'en est pas question. Acceptez mon hospitalité. Vous avez ici votre chambre. Nous dînerons, si vous le voulez bien, à la fortune du pot.

Al va refuser.

– Je vous en prie, dit Desaï. Acceptez de me faire plaisir.

Al hésite. Qu'y a-t-il chez cet homme qui, malgré la défiance qu'il lui inspire, l'attire et le retient ? N'est-ce pas le fait que Malika le connaît ? Qu'elle vient dans cette maison ? Que ces lieux lui sont familiers ? Rester, c'est être un peu, un tout petit peu, avec elle.

Il accepte.

Le chien sur les talons, ils sont rentrés dans la maison. Le vieux domestique le conduit à sa chambre, au premier étage, dépose son bagage, salue et se retire. Al se jette sur le lit et fourre sa tête dans ses bras.

A Paris, il est rentré à l'hôtel. La chambre est vide. Malika n'est pas là. Il retrouve sa trace à Delhi. La maison d'Akbar Road est fermée. Malika n'est pas là. Il la suit à Simla. Trouve son bungalow. Malika n'est plus là.

Que se passe-t-il ?

A-t-elle quitté Paris pour le fuir ? Alors il faut compter pour rien ses mots d'amour, sa façon de l'enlacer, de l'embrasser, le bonheur qu'elle trouvait dans ses bras, l'éclat de ses yeux, ses rires, les projets qu'ils échafaudaient ensemble. Je n'ai jamais aimé quelqu'un comme toi, lui disait-elle. Non, je n'ai jamais vraiment aimé ! Tu es mon premier amour. Mon bonheur. Tu es là, mon passé n'existe plus.

Elle lui réapprenait à espérer, à vivre. Elle dissipait peu à peu son sentiment d'inutilité, d'échec, son dégoût. Avec elle, il découvrait — ô ironie — ce qu'est vraiment une femme. Il en était émerveillé.

Elle chantait. Elle était heureuse.

Il commençait à écrire de la musique de danse pour elle.

Il voulait servir son art. Tout partager avec elle.

Alors, était-il plausible qu'à Paris elle eût décidé de le fuir ?

Et l'avait-elle fui à Delhi, à Simla ? C'était exclu. Elle ignorait son arrivée en Inde. Elle ne pouvait savoir qu'il se présenterait un jour à Akbar Road, le lendemain à Combermere.

Alors c'était incompréhensible. C'était à se taper la tête contre les murs.

Où est-elle maintenant ? Où est-elle ?

Al gémit, se relève, regarde autour de lui.

C'est une belle chambre. La plus belle sans doute qu'il ait jamais habitée. Les murs sont couverts de boiseries claires. Un tapis de haute laine couvre le sol. La fourrure qui sert de courtepointe, les lumières tamisées, les meubles confortables et sobres, tout donne une impression de luxueuse intimité. Au-dessus du bureau une fort belle peinture de sommets enneigés. Par la porte-fenêtre donnant sur le balcon la vue plonge sur les pentes obscures où quelques lumières éparses brillent faiblement.

Malika doit aimer ce silence, cette paix, pense-t-il.

On frappe à la porte. C'est le vieux domestique qui revient avec une charge de bois. Il allume le feu.

– Le dîner sera prêt à huit heures, Sahib. M. Desaï vous attendra en bas.

Il est sept heures. Al a tout son temps. Après cette journée de voyage et d'émotions, il prend un bain qui le délasse. Puis il s'assied devant le feu. Il se sent bien. La chaleur vivante des flammes le pénètre, le calme, lui redonne confiance. A huit heures, il descend pour rejoindre Desaï.

Souriant, celui-ci l'attend dans le salon. Il paraît détendu, rasséréné. Le whisky est prêt. Des bûches flambent dans la cheminée.

Al parcourt la pièce du regard. Les soies peintes qui décorent les murs retiennent son attention.

– Ce sont des Tankas tibétains, dit Desaï. Ils représentent les divinités du panthéon bouddhiste.

Al ignore tout du panthéon bouddhiste. Sans mot dire il s'assied.

– Pour un Indien, reprend Desaï, c'est un privilège de vivre dans le confort à la montagne. Notre pays est chaud et surpeuplé. Je suis pour l'instant un auteur heureux. Les éditions américaine et anglaise de mes livres m'ont permis d'acheter cette maison. A moi de gagner assez d'argent pour continuer à y vivre. Rien n'est jamais acquis. C'est affaire de travail, de flair, d'intelligence. Si je faiblis, mon édifice s'écroule. Le défi est permanent. Au fond, c'est mieux ainsi. Et vous, dites-moi, que faites-vous ?

– Je suis musicien. Guitariste. Je jouais dans un groupe de jazz-rock.

– Vous "jouiez" ? Et maintenant ?

– J'ai un autre job, dit Al de façon coupante. Je préfère ne pas en parler.

Desaï le regarde bien en face, puis baisse les yeux sur son verre :

– Soit.

Al se reproche à nouveau sa brutalité. En s'efforçant de sourire il reprend sur un ton conciliant :

– En fait, comme vous, j'ai eu deux carrières.

– Deux carrières... Et au passé... Voilà de bien grands mots. Quel âge avez-vous donc ?

– Trente cinq ans.

– J'en ai vingt de plus, dit Desaï.

Et il l'a dit de façon telle qu'Al s'interroge sur ce que cette affirmation sous-entend. La fin de l'âge mûr ? Le temps qui fuit ? La perspective de la vieillesse ?

– Trente cinq ans ? Vous avez la vie devant vous.

Al vide son verre et se met à rire :

– Croyez-vous ?

Son regard quitte Desaï, quitte la pièce, s'envole vers des souvenirs, là-bas, en France.

– Il s'agit de savoir ce que l'on a fait et vécu en trente cinq ans.

– Pour moi..., c'est simple. Jusqu'à quarante ans, l'armée. Ensuite, la liberté, l'écriture.

– Aussi simple que ça ?

– Non, avoue Desaï. Mais c'est un schéma commode. A côté il y a tout le reste. Quelle fut donc votre première carrière ?

– La moto, dit Al. Les championnats de moto.

Desaï est surpris :

– Ces hommes casqués, habillés de cuir, qui tournent comme des fous ?

– Oui. J'étais de ceux là.

– Comment y êtes vous venu ? Une vocation ?

– A l'origine, un prêtre, qui m'a donné le goût de la moto. Et du sport en général. A seize ans je promettais d'être un coureur, un sauteur remarquables. Mais la moto l'a emporté. Ce prêtre a fait plus encore. Passionné de musique, il jouait de la guitare. Fort mal d'ailleurs. Il m'a appris. Oui, il est à l'origine. Mais je pense que, même sans lui, j'aurais fini par trouver ma voie.

– La passion de la vitesse ?

– Et de gagner.

– Vous êtes un gagneur ?

– C'est une autre question, répond Al. Et son visage se rembrunit.

– Ainsi, pour moi, l'armée et la littérature. Pour vous, la vitesse et la musique. A chacun ses deux passions.

– Et, comme vous l'avez dit, tout le reste en plus.

Ils se mettent à rire.

Le vieux serviteur paraît :

– Le dîner est servi, annonce-t-il.

Ils passent dans la salle à manger. La table est éclairée par des bougies.

– C'est une habitude, explique Desaï. J'aime dîner ainsi. C'est reposant pour les yeux. Et pour l'esprit. Excusez ce repas très simple. Du curry au poulet et des fruits. Aimez-vous le curry ?

– Oui. J'en ai mangé plusieurs fois.

– Pourquoi avez-vous abandonné la moto ?

– Les difficultés de la vie.

– Et la musique ?

– Je ne l'ai pas quittée. Elle est, disons... entre parenthèses.

Comme la musique, sa vie toute entière n'est-elle pas entre parenthèses ? Ou, plus exactement, suspendue ? Liée à Malika qui, en disparaissant, repose tous les problèmes, aggravés du poids de sa propre énigme.

En ce moment, Desaï pense-t-il aussi à Malika ? Oui, c'est sûr, il le jurerait.

– Vous la connaissez depuis longtemps ?

Al n'a pas précisé "Malika". Inutile.

– Depuis toujours. Je l'ai vue grandir. Sa famille était amie de la mienne. J'ai beaucoup d'admiration pour son père. Il fut un grand juge, avec tout ce que cela implique de sagesse, de perspicacité, d'humanité et de probité. D'indépendance d'esprit aussi. Il a fini au sommet, à la Cour Suprême. J'ai particulièrement apprécié son attitude lorsque Malika a déclaré qu'elle voulait se consacrer à la danse.

Que voulez-vous dire ?

– Nos grandes familles sont conservatrices. Elles respectent les traditions. Trop, parfois. Dans celle de Malika, qu'une jeune fille eût l'intention de devenir une danseuse professionnelle, ça ne s'était jamais vu et c'était scandaleux. Il fut un temps, voyez-vous, où chez nous la danse professionnelle dégénéra et côtoya la prostitution. Elle a donc laissé de mauvais souvenirs. Danser en public, ce n'était pas convenable. Bien sûr, les choses ont changé. Nos danseuses sont des femmes admirées, souvent adulées, et honnêtes. Il n'empêche que les préjugés demeurent dans quelques milieux. Eh bien, quand Malika a déclaré à son père qu'elle voulait être danseuse, il lui a demandé de réfléchir. Puis il s'est incliné devant sa décision. Ce n'était pas sans mérite. Ne vous a-t-elle pas dit tout cela ?

– Non.

– Elle adore son père et aime raconter cette histoire.

Non, il ne savait pas. Il en sait si peu sur elle. Lui, sur la plage, il a tout dit, s'est livré tout entier. Son attitude était différente; elle ne parlait jamais de son passé, d'elle-même. Sans doute n'avait-elle pas les mêmes raisons. Ensemble ils n'évoquaient que l'avenir.

Il en sait plus que moi, pense Al. La connaîtrait-il mieux que moi ?

Un sentiment de jalousie lui pince le cœur, fugace.

– Vous la voyez souvent ?

– Quand elle vient à Simla, trois ou quatre fois l'an. C'est moi qui lui ai signalé le bungalow voisin qui était à vendre. Autrefois, lorsque j'habitais Delhi, je la rencontrais plus fréquemment.

– Elle se plaît, ici ?

– Elle aime la montagne. Ce climat la repose. Mais son métier est à Delhi. Son public dans le monde entier.

– C'est une grande danseuse.

– Très grande. Elle est célèbre.

Ils bavardent de choses et d'autres jusqu'à la fin du repas, vont au fumoir où ils allument une cigarette. Le téléphone est sur la table.

– Maintenant ? Demande Al.

– Oui.

Desaï forme le numéro d'Akbar Road. De mémoire, constate Al. Attente. Pas de réponse.

– Personne ?

– Personne, répond Desaï.

Sa main tremble quand il repose le combiné.

– La police ? Suggère Al.

Desaï secoue la tête :

– Je ne crois pas. Malika est indépendante. Imprévisible parfois. Si elle savait que, sans raison majeure, nous avons alerté les Autorités, elle serait furieuse. Voici trois jours qu'elle a quitté Simla. Un accident ? Toute l'Inde le saurait. Nous le saurions. Attendons encore.

– Elle conduisait elle-même ?

– Oui.

– Seule ?

– Oui. Mais elle est prudente.

– Où peut-elle être ?

– Je n'en ai pas la moindre idée.

Al se lève :

– Je partirai demain matin. Peut-être apprendrai-je à Delhi quelque chose. Si c'est le cas, je vous téléphonerai. Je vous remercie pour votre hospitalité. J'espère vous revoir.

Il écrase sa cigarette dans le cendrier et regagne sa chambre. Le feu flambe, les rideaux sont tirés, le lit est fait. Mais cet appel au bien-être le laisse insensible.

Malika est peut-être en danger.

Il cherche longtemps le sommeil.

Il est huit heures lorsque le vieux serviteur le réveille en lui apportant son petit déjeuner. Sur le plateau d'argent recouvert d'une serviette blanche, du café, un jus de fruit, des céréales, des œufs brouillés, du pain et des fruits qui lui sont aussi inconnus que ceux qui lui ont été servis la veille au dîner. Devant les yeux d'Al passe la vision du bol rempli d'un liquide noirâtre qui lui était servi, le matin, avant qu'il commence son travail, à la clinique de Rouen. Il a un petit rire.

Le vieux domestique a ouvert les rideaux. Le soleil brille sur les collines. La brume nimbe encore le paysage, mais elle monte, s'évapore, les pentes se découvrent, apparaissent comme une vérité qui se révélerait peu à peu. Al regarde aussi la chambre. Il éprouve quelque nostalgie à quitter ce pays, cette maison. Il y sent Malika malgré tout présente. Et c'est si beau.

Il déjeune, fait sa toilette. Un dernier regard sur les vallées, les collines. Il descend.

Desaï l'attend :

– Je viens d'appeler à nouveau. Sans résultat. Si vous apprenez quoi que ce soit, vous m'avertissez, n'est-ce pas?

– C'est entendu.

Ils se serrent la main.

Desaï l'accompagne au garage. Al sort la moto, l'enfourche, démarre.

Un salut de la main :

– Merci encore !

Il passe devant l'U.S. Club, se dirige vers le centre de la ville qu'il doit traverser pour retrouver la route de Kalka.

Il a le cœur serré. Hier, au fond, c'était la fête. Il gravissait ces pentes, il jubilait. Il allait revoir Malika, la prendre dans ses bras. Aujourd'hui, inquiet, désorienté, ne sachant où elle est, ce qu'elle pense, ce qu'elle fait, seul, il s'en va. Et revient la question lancinante : pourquoi ? Pourquoi est-elle partie ? Pourquoi m'a-t-elle quitté ?

Les rues sont presque vides. Quelques passants, des balayeurs, des hommes de peine, un facteur, ici et là. Un facteur ? Une idée lui vient. Voici justement le clocher de l'église. La Poste n'est pas loin.

Il la trouve sans difficulté, enchaîne la moto, entre. Les guichets sont déserts. Il reconnaît l'employé auquel il s'est adressé la veille :

– Vous m'avez indiqué le bungalow de Malika...

– Je me souviens, Sir.

– Je joue vraiment de malchance. Elle vient de quitter Simla. Or je dois lui parler. C'est important et urgent. Aurait-elle laissé une adresse où faire suivre son courrier ?

L'employé rougit :

– C'est-à-dire...

– Je sais... Mais il s'agit d'une urgence. Cela resterait entre nous. S'il vous plaît.

L'employé hésite. Il ne voudrait pas décevoir ce Sahib avec lequel il s'est déjà montré serviable. Et qui lui parle si aimablement. Mais le règlement...

– Attendez, Sir. Je vais voir.

Il s'éclipse, revient au bout de deux minutes, un papier à la main :

– Voici l'adresse, Sir. Entre nous, naturellement.

– Entre nous. Je vous suis très reconnaissant.

Il lit sur le papier : Ashram d'Anandabhavan, Mathura, U.P.

Il n'y comprend rien.

Ashram, cela lui dit vaguement quelque chose, c'est un mot qui lui est passé sous les yeux, mais en fait il ne sait pas ce que ça veut dire. Anandabhavan, cela se rapporte à ashram. Et Mathura ? U.P. ? Pour ne pas perdre la face, il évite d'étaler son ignorance :

– U.P. ?

– L'État d'Uttar Pradesh, Sir.

– Mais oui, bien sûr !

– Mathura ?

– Juste au sud de Delhi, Sir. Voyez la carte sur le mur.

Il y repère aussitôt Mathura, à une centaine de kilomètres de Delhi. Quant au mot "ashram", il interrogera Aziz.

– Merci. Vraiment merci.

– A votre service, Sir.

Il quitte la Poste, saute sur la Ténéré, démarre en trombe. Il exulte, il rayonne de joie ! Il sait à nouveau où se trouve Malika ! Dans un endroit qui s'appelle Ashram d'Anandabhavan, à cent kilomètres de Delhi ! Un peu de bon sens, un brin d'astuce, et voilà la situation retournée !

Va-t-il avertir Desaï tout de suite ? Non. Il éclaircira d'abord la question de "ashram". Il l'appellera ensuite. De chez Aziz. En avant pour Delhi !

Le soleil étincelle sur les collines. La belle route des vice-rois descend en serpentant parmi les bois de pins. Tout est pur, gai, vivifiant. Et il a retrouvé Malika !

Al éclate de rire, accélère et, de joie, se permet quelques fantaisies de conduite. A tue tête, il crie :

Malika ! Malika ! Malika !

Un cri de triomphe.

Ah, il aimerait vivre ici avec elle. Ils se promèneraient ensemble dans les collines, ils iraient voir les grands sommets qu'habillent les neiges éternelles. Le soir, ils dîneraient devant un grand feu. Aux chandelles, bien sûr.

Ce Desaï, c'est un homme étrange. Intéressant, séduisant. On devine qu'il en a beaucoup vu. Une vaste expérience. Une grande culture. Moi, je n'ai pas de culture. Des lectures, par-ci par-là. Mais rien d'étendu, de construit, de solide. Je parle assez bien l'anglais pour avoir vécu trois années à Londres. Heureusement, car sans l'anglais que deviendrais-je dans ce pays ? Sourd et muet.

Pas question de retrouver Malika ! Oui, quelques lectures. Des bribes. Un vernis de culture musicale. Des curiosités. Des habiletés.

Des habiletés... Celle de conduire une moto à toute allure. Celle de maquiller un numéro de moteur. Celle de...

Un petit rire... Amer.

Le père voulait que je fasse des études. Le soir, il venait parfois s'asseoir près de mon lit et me disait : je veux que tu études. Je veux que tu soies savant et que tu aies des diplômes. Le fils doit progresser par rapport au père. Tu seras un grand ingénieur.

Il était là, mon père, caché dans la foule qui remplissait la cathédrale, lorsque j'ai chanté pour la première fois en aube blanche. Gonflé d'importance et de fierté. Et la voix de son fils s'élevait, bien timbrée, pure, sous les voûtes immenses, devant Monseigneur l'Archevêque, et tous ces prêtres en surplis, et l'assistance grave et recueillie. Il ne m'en a rien dit, mais je l'ai su par ma mère. Et plus tard il se rengorgeait chaque fois que la chorale allait se produire dans une église ou un château d'alentour.

Il était ambitieux pour moi.

Il n'a jamais su que j'avais abandonné mes études, à seize ans, juste après le premier bac. Il ne l'a pas su pour la bonne raison qu'il est mort l'année d'avant, dans un combat de boxe, à Marseille. Nous ne l'avons pas revu. Seulement son cercueil que la compagnie d'assurance — c'était prévu dans le contrat — a ramené à Rouen. La ville a payé les obsèques parce qu'il l'avait honorée en grimpant jusqu'à la finale des championnats de France, poids moyens. Il visait le titre et, plus loin, celui de champion d'Europe. Je suis sûr de moi, je ferai aussi bien que Marcel Cerdan, disait-il. Mais sans doute se berçait-il d'illusions.

Je puis donc me dire que je ne l'ai pas déçu, puisque j'ai pris ma décision après sa mort. Mais au fond de moi-même je sais que ce n'est pas vrai. J'ai déçu l'espoir qu'il avait mis en moi. D'une certaine façon, je l'ai trahi.

Faut-il que l'on déçoive toujours ceux que l'on aime ? Ou que l'on soit déçu par eux ? Sommes-nous faits de telle sorte que nous sommes condamnés à décevoir ou à être déçus ? Est-ce l'effet d'un défaut, d'un vice essentiel ? Il y a des guitares, des violons, qui ne seront jamais excellents. Leur son n'est pas pur, ils ne vibrent pas comme il faut. Affaire de caisse de résonance, sans doute. Il n'y a rien à faire. C'est ainsi. Un défaut de qualité, un vice congénital. J'ai eu souvent l'impression d'être une mauvaise guitare. J'aimais mon père, et je l'ai trahi. J'aimais Hélène et je l'ai déçue. J'aimais Béatrice, elle m'a trahi.

Je ne trahirai jamais Malika. Je le sens. C'est une certitude. Mais pourquoi m'a-t-elle quitté ? M'aurait-elle trahi, elle ?

Non ! On ne trahit pas celui auquel on a redonné la vie. On ne trahit pas son enfant.

Car, c'est étrange, elle est devenue ma femme, je suis son homme, son mâle, et pourtant près d'elle j'ai parfois l'impression d'être un enfant. Le sien.

Je ne le lui ai jamais dit. L'a-t-elle deviné ? Je crois que oui. Elle devine tout de ce qui me concerne. J'ai le sentiment qu'elle lit en moi aussi bien que dans un livre ouvert.

Je me rappelle quand nous avons, ma mère et moi, appris la mort de mon père. Nous étions dans la cuisine, on venait juste de s'asseoir pour dîner, ou plutôt je venais de m'asseoir, ma mère était debout pour nous servir. Elle avait posé la soupière sur la table couverte d'une toile cirée à carreaux rouge et blanc. Je n'étais pas dans la joie car c'était un reste de soupe aux poireaux — ma mère préparait toujours la soupe pour deux ou trois jours — et la soupe aux poireaux je n'ai jamais aimé ça. Ma mère m'en versait une louche et à ce moment là j'ai eu l'impression — comment dire ? — que le rythme du temps battait plus fort, comme si le moment que nous vivions était sans que nous le sachions d'une très grande importance, et j'ai levé la tête, surpris, regardant le réveil posé sur la cheminée, car il me semblait aussi qu'il avait soudain un tic-tac plus bruyant. C'est à ce moment là que quelqu'un a frappé à la porte. Ma mère s'est essuyé les mains à son tablier — c'était un geste machinal chez elle, même si ses mains étaient nettes et sèches — et elle est allée ouvrir. Deux messieurs sont entrés, des messieurs de la mairie — mais pas le maire lui-même. Ils paraissaient embarrassés. Gênés. On devinait qu'ils eussent mille fois préféré être ailleurs. Il y avait de la neige fondue sur leurs pardessus, ils ont ôté leurs chapeaux.

– Bonsoir, Madame, ont-ils dit.

Et ils avaient l'air de galopins qui vont recevoir une fessée.

– Bonsoir, Messieurs, a répondu ma mère.

C'était une forte femme, ma mère. Elle avait de la tête et ne se payait pas de mots. Mais elle savait être polie.

Inconsciemment j'étais déjà en alerte à cause du réveil, mais alors, là, le ton de la voix de ma mère m'a franchement mis sur le qui-vive. Je me demande si elle n'avait pas déjà deviné.

– Vous ne savez pas ? A dit l'un des deux hommes.

– Non, a-t-elle rétorqué. Et aussitôt elle a ajouté mon mari ?

Les deux hommes ont baissé la tête.

Ma mère n'a pas éclaté en sanglots. Elle n'a pas pleuré. Elle a baissé la tête, elle aussi. Puis elle a fait le tour de la table et, debout derrière moi, elle a mis ses mains sur mes épaules et les a serrées. J'ai levé les yeux. J'ai vu son visage dans la glace du buffet, elle fermait les siens, et son visage était livide, cireux, à croire que c'était elle qui était morte. Mais la vigueur de ses mains qui broyaient mes épaules me prouvait qu'elle était bien là. J'ai compris alors que mon père était mort et c'est moi qui ai éclaté en sanglots.

Ma mère a lutté pour que je n'abandonne pas mes études. Elle les payait en faisant des ménages. Ma mère, rien ne la rebutait. Tout comme mon père. Et surtout pas de se retrousser les manches, de saisir la wassingue et de se salir les mains. Mais rien n'y a fait. Ni ses raisonnements, ni ses reproches. Une force toute puissante m'appelait. La vitesse. La moto. La rage de vaincre les autres par la vitesse et la moto. C'est à cause de la moto que je me suis arrêté d'étudier.

J'ai déçu ma mère aussi.

Al dévale la pente. A mesure qu'il descend la fraîcheur de l'air décroît. Vient le moment où là-bas, dans le fond, il aperçoit le poudroiement de la plaine. La fournaise blanche qu'il affrontera tout à l'heure. Mais la chaleur, il s'en moque. Il a même hâte de l'atteindre, car là, dans l'étuve de la plaine, se trouve Malika qu'il va rejoindre.

Elle est là. Elle l'attend. Elle l'appelle.

C'est quand même formidable d'avoir eu l'idée d'aller à la Poste et de risquer le coup avec cet employé.

Et c'est lui, Al, le nouveau venu qui n'a aucune expérience de l'Inde, c'est lui qui l'a eue, cette idée !

Desaï n'y a pas pensé.

Curieux que Desaï n'y ait pas pensé...

Il est pourtant du pays, de Simla, il doit connaître les habitudes, celles de Malika notamment, et qui plus est les gens de la Poste. Pourtant... A moins que...

Le regard fixe, Al se raidit soudain sur sa moto.

A moins qu'il y ait pensé juste après mon départ... Ou bien, à moins qu'il y ait pensé avant mon départ, sans m'en parler toutefois.

Auquel cas, il m'aurait caché son intention d'aller à la Poste...

Pourquoi ?

A moins qu'il ne m'ait délibérément menti...

Et s'il m'avait trompé ?... S'il savait où est Malika... Si, d'un bout à l'autre, il m'avait joué la comédie...

Al est tendu comme une corde de guitare. Il flaire la piste. Il la renifle. Il sent qu'il va découvrir quelque chose.

Mais pourquoi m'aurait-il joué la comédie de l'ignorance et de l'inquiétude ? Pourquoi ?

Parce que...

Et la raison se présente, irréfutable :

Parce qu'il aime Malika !

La découverte est si surprenante et soudaine qu'Al freine brusquement et s'arrête sur le bas-côté de la route.

Autour de lui tout est silence. Les pierres du remblai, les arbres que n'agite aucune brise, sont d'une immobilité minérale. A courte distance deux écureuils jouent sur un pin, mais ils ne font aucun bruit, on dirait qu'ils courent sur de la ouate. Le regard perdu, Al concentre son esprit sur cette pensée : Desaï aime Malika. Peut-être l'a-t-il toujours aimée. Et moi j'arrive avec mes gros sabots, je suis l'importun, mieux, le rival, celui dont on doit se méfier, celui qu'il faut faire parler avant de le berner et de l'éconduire.

Pensivement il remonte sur la Ténéré, reprend la route.

Comme il a bien joué, Desaï. Il m'a dorloté, endormi, leurré. J'étais touché de son accueil, je l'admirais, pour un peu je lui vouais de l'amitié. Et merci, merci ! M'écriais-je en agitant le bras. J'étais dupe. Il m'encourageait à boire. Il devait rire sous cape en me versant rasade sur rasade.

Pourtant, c'est également vrai, je restais sur mes gardes. Une prudence instinctive m'enjoignait de ne pas me livrer. J'ai coupé court à ses questions. Il ne connaît pas la nature précise de mes relations avec Malika.

En ce moment il me tient pour un naïf. Mais il s'interroge aussi. Il est jaloux, il souffre, peut-être. Et il ne sait pas que je l'ai deviné. Il ignore que je connais l'adresse de Malika.

L'avantage est de mon côté.

Mais enfin qu'ont-ils donc à me mentir ? Lui ! Et le maître de danse ! Ils veulent m'écarter. Avoir Malika pour eux. Mais c'est moi qui l'aurai ! C'est moi qui vais la reprendre !

Son exultation est grande. Mais il se calme pour traverser presque au pas la rue principale de Kalka où se presse une foule dense. Le voici dans la plaine. Il n'a plus qu'à foncer tout droit sur Delhi.

La chaleur est forte. De chaque côté de la route s'élèvent les colonnes de poussière blanche qu'il connaît déjà. Mais peu lui importe. Les lèvres crispées, il conduit vite, il a hâte d'arriver. Il ne pense pas. En tout cas il ne raisonne pas. Une seule image en tête, à laquelle son attention et sa volonté de vaincre sont rivées : Malika.

C'était comme ça, dans les courses autrefois, quand il se trouvait en première position : le corps plié en zigzag, le buste à l'horizontale, couché, aplati sur l'engin, les bras en avant, les mains serrées sur les poignées du guidon dont elles maîtrisent les trépidations, la tête basse et, par la visière du casque, le regard fixé sur un point imaginaire et mouvant de la piste à cent mètres devant lui. Deux cent cinquante, deux cent soixante, deux cent soixante quinze kilomètres à l'heure. Tendu. Attentif. Obnubilé. Pour toi, en ce moment, il n'y a plus que trois choses au monde, Al. Le ruban gris de la piste devant toi. La formidable bête mécanique qui vit entre tes cuisses et sous ton ventre, à laquelle tu es lié, collé, soudé. Et le bruit assourdissant du pot d'échappement qui t'obsède car il doit rester d'une régularité parfaite. Au second plan de ta conscience, le virage qu'il va falloir négocier sans perdre un dixième de seconde et la sourde présence derrière toi, à vingt centimètres, à un mètre, de l'adversaire qui te talonne et qui t'épie.

Ainsi va-t-il très vite avec la seule pensée de Malika à l'esprit. Malika dont chaque seconde, chaque mètre parcouru, le rapprochent. Malika qui est sienne et qu'il va reprendre dans ses bras.

Il ne s'est pas retourné pour voir la ligne bleue des montagnes disparaître à l'horizon surchauffé. C'en est fini de Simla et des collines. Malika n'y est plus et il les a déjà oubliées. Il fonce vers le sud, puisque c'est là qu'elle est.

Il tressaille pourtant quand monte dans son regard, encore lointain au fond de la ligne droite, un bouquet d'arbres qui lui paraît vaguement familier.

Ces arbres... Ces arbres devant lesquels il doit, il va passer... Il les reconnaît, bien sûr. C'est là que se tenait l'ermite. C'est là qu'il a eu la première peur de sa vie.

Il coupe le moteur, se range sur le bord de la route, descend de la moto. Tourné vers les arbres, bien campé sur ses jambes légèrement écartées, il les regarde.

Il ne sera pas dit...

Les autres sont partis. Dans l'atelier qu'éclaire une baladeuse il n'y a plus que Serge en face de lui.

Serge avec lequel il travaille depuis deux ans et dont pourtant il ne reconnaît pas le visage.

C'est un visage décomposé, livide, mauvais, où flambent haineusement les yeux noirs.

– Tu m'as donné.

– Je ne t'ai pas donné, Serge, tu le sais bien.

– Ils m'ont épinglé sur la Porsche et la Jaguar. Celles que tu as traitées. Aucune autre.

– C'est une coïncidence. Je n'y suis pour rien.

– Il y a quelque temps que je surveille ta belle petite gueule. Je te tenais à l'œil. J'avais des soupçons. Maintenant je sais.

– Tu as tort, Serge, tu te trompes.

– Mais avant qu'ils me mettent en cabane je vais te tailler un petit œillet.

Serge avance. Il est large, musculeux. A sa main droite luit une lame.

Al est sans arme. Mais il n'a pas peur.

Dans une feinte la lame file vers la gauche puis remonte sur Al, pointée de bas en haut.

Al esquive. Son pied droit se détend, atteint le tibia de Serge qui automatiquement se courbe. Un second coup de soulier l'atteint au menton. Il vacille. De toutes ses forces Al lui décoche un coup de poing dans la mâchoire. Serge s'écroule.

Al ramasse le couteau, va à l'établi, insère la lame dans l'étau et la brise. Il jette le manche du couteau sur l'homme affaissé dont les yeux vitreux le suivent. Il éteint la baladeuse et s'en va.

Il ne sera pas dit...

Il n'a jamais ployé ni cédé. Une seule fois il a flanché. Devant la Vie. Mais la Vie est au-dessus des hommes. Elle est plus vaste, plus complexe, elle les domine.

Et c'est alors que Malika l'a sauvé. Il ne sera pas dit qu'il se présentera devant elle les yeux baissés, comme un piteux, comme un foireux. Il revendique le droit de regarder tous les hommes en face, y compris un vieil ermite dont il ne s'explique pas qu'il ait pu le troubler.

Al reprend la route. Il atteint les arbres, s'arrête.

Où est-il, l'ermite ?

Il descend de la Ténéré et, les poings serrés, avance. Des yeux, il fouille l'entrelacs des troncs et des racines monstrueuses, prêt à recevoir le choc du regard vide. Il fait le tour du massif de banians, mais ne voit âme qui vive dans ce fouillis végétal.

– Y a-t-il quelqu'un ? Crie-t-il en anglais.

Seul le silence lui répond.

Il hausse les épaules, déçu, regrettant que n'ait pas lieu l'épreuve de force.

Une fois de plus il se serait prouvé...

Lubie, imagination que tout cela, se dit-il. Je devais être fatigué.

On repart pour Delhi !

Il a toujours aimé le défi. Ça le tend, ça l'excite, ça donne du sel à la vie.

Se défier soi-même. Pendant des années. Jusqu'aux limites du possible.

Il s'est lancé un défi majeur le jour où il s'est juré de devenir un très grand champion de moto, un de ceux qui laissent leur nom dans l'histoire du sport, alors qu'il ne disposait pas des moyens suffisants.

D'abord, à dix-sept ans, il a bricolé une moto avec Yves afin de la rendre plus puissante. Puis deux motos, une pour chacun. Avec elles ils ont fait leurs premières courses. Al s'est signalé — c'était déjà un exploit — par un très bon classement. Il a attiré l'attention de Tatsu Yoshitaka qui l'a pris dans son écurie. Chez Yamaha, c'était le pied. On mettait à sa disposition des motos d'usine, de vraies merveilles, des pur-sang de course qui n'ont rien à voir avec les engins commercialisés que l'on trouve sur le marché. Des bêtes fines, nerveuses, agressives, racées, aux lignes superbes et d'une solidité à toute épreuve. Il se perfectionnait en mécanique, en technique de course. On le payait bien. La réalisation de son rêve était à portée. Et puis il a déçu. Le verdict est tombé : manque de régularité dans le succès. Au revoir, Monsieur. Au suivant ! Un coup très dur. Manque de régularité... Mais ça, c'est une autre histoire. Il a serré les dents, il a renouvelé le serment de s'imposer coûte que coûte et avec Yves il a recommencé à débrider des motos. Ils ont couru. En indépendants. En privés. Ils ont couru contre les gars qui ont les fameuses motos d'usine et qui ne font pas de cadeaux parce qu'ils jouent eux aussi leur carrière. Seulement, il faut savoir ce que cela implique, se mesurer avec ces mecs là sur une moto moins rapide et moins sûre. Mathématiquement, ils doivent gagner, en raison de la qualité de leurs engins. Pour avoir une chance de les vaincre, un seul moyen : les dominer sur le plan personnel. La supériorité de l'homme doit compenser, et au-delà, l'infériorité de la machine. Mais ce ne sont pas des manches, ces mecs. Il leur revient de défendre les couleurs de leur marque, d'assurer sa publicité, de prouver qu'elle est la meilleure par leurs victoires, et c'est précisément parce qu'ils sont eux-mêmes très forts que la marque leur donne les moyens de gagner en leur confiant les fabuleux petits bijoux. Donc, une seule solution : payer d'audace, prendre des risques. Des risques pour sa moto. Des risques pour soi-même. Al a joué à ce petit jeu là pendant des années. Il a lutté à armes inégales contre les pilotes des grandes usines et leurs motos super excellentes. Agostini, le grand champion italien, avait coutume de dire : il faut gagner une course le plus lentement possible. Il entendait par là que la qualité de sa moto lui permettait de dominer une course de bout en bout sans prendre de risques. Avec le grand talent en plus, bien sûr. En raison de son handicap mécanique, Al se trouvait dans le cas de figure opposé. Il a gagné parfois, contre vents et marées. Il a perdu souvent, sa moto avait flanché ou bien le risque pris avait provoqué la chute. Certaines fois, ç'avait été à pleurer de rage. Au Mans, par exemple, il était en tête depuis le début de la course, il se payait un triomphe, et soudain, dans le dernier tour, la petite fumée qui sort du moteur. La panne. La panne de la machine qui révèle un défaut caché, une faiblesse. Ou la chute. Au cours de ces années de combat, il s'est cassé les bras, les jambes, des côtes. Les chirurgiens, il connaît ! Il a quelques plaques de métal et des broches plantées ici et là dans le corps. Ce n'est pas grave. Ce qui l'est, c'est de casser sa moto. De la voir là, bousillée, en morceaux, pulvérisée, bonne pour la ferraille. Un os, ça se ressoude. Une moto, ça doit se remplacer. Et alors il faut de l'argent.

Quant à Yves...

Oh là ! Al s'écrase littéralement sur son réservoir. Alors qu'il traverse un village, un chameau vient de surgir au galop d'une ruelle, poursuivi par son propriétaire vociférant. Al passe sous le nez de la bête. Il entend son renâclement juste derrière son casque.

Se mettre soi-même au défi... Et du coup défier les autres...

Se prouver à soi-même... Et du coup prouver aux autres...

Prouver quoi ?

Qu'on est le meilleur, selon la formule consacrée ?

Est-on jamais vraiment le meilleur ? Ou alors, pour combien de temps ?

La route file sous le soleil accablant, surchauffée, blanche de poussière. Les bourgades, les villes se succèdent. La circulation s'épaissit. Voici le grand pont sur la Yamuna et sa cohue de foire. Il tremble, gronde comme s'il enrageait d'être envahi, piétiné, écrasé par cette multitude assourdissante. De l'autre côté se dressent les murailles du Fort Rouge.

Encore un effort et ce sera la maison d'Aziz.

Al remise la Ténéré dans le garage, tend l'oreille, sourit. Du fond de la maison lui parviennent les battements des tablas, en grappes, trilles, rafales suivies de coups brefs, isolés, comme si les tambours devaient réfléchir, retrouver leur souffle. Aziz travaille. Il chante parfois une mélopée rapide, où les onomatopées se succèdent à la vitesse de ses doigts frappant le cuir tendu.

Tout d'un coup Al voudrait entrer dans cette musique, s'y insérer, s'y lover, il voudrait pouvoir saisir sa guitare et jouer pour exprimer la joie qui exulte en lui car il va bientôt serrer dans ses bras Malika atteinte et retrouvée. Mais il n'a dans la main aucune corde trépidante, alors, frémissant, il appuie son front sur le mur qu'il martèle de ses doigts raidis. Le battement des tambours le saisit à la nuque, glisse le long de sa colonne vertébrale, le cambre dans une exaspération de plaisir. Al s'abandonne à cette jouissance, puis d'un coup de reins s'y soustrait. Il referme la porte du garage et sur la pointe des pieds entre dans la maison. C'est là, derrière ce rideau qu'il écarte sans bruit. Le visage levé, les yeux clos, Aziz a quitté ce monde. Il monte un cheval ailé qui l'emporte au-dessus d'un océan couleur d'ambre dont les vagues se succèdent, courtes, rythmées, sous un ciel enflammé.

Bref silence des tambours.

– Aziz...

Aziz tourne la tête, reconnaît Al qui est là, debout, son casque noir à la main. Il émet un petit rire, s'ébroue, ouvre grand les yeux :

– Seul ?
– Seul, répète Al. Puis il ajoute : je ne pense pas que ce soit pour longtemps.
Il s'assied devant Aziz.
– Que s'est-il passé ?
– Elle avait quitté Simla. Depuis trois jours.
– Alors ?
– J'ai son adresse. Regarde.
Il lui tend le papier.
– Ashram, qu'est-ce que ça veut dire ?
– Un ermitage. Un monastère, si tu préfères, où l'on écoute l'enseignement d'un maître spirituel, un guru.
– Anandabhavan ?
– C'est le nom de cet ashram. Cela signifie la maison de la félicité. Au sens de joie spirituelle. Elle est donc là ? A Mathura ? Comment le sais-tu ?
– Je l'ai appris à la Poste. Ils lui font suivre son courrier. J'y vais.
– Tout de suite ? Repose toi. Tu dois être fourbu.
– Je ne peux pas me reposer, rétorque Al en riant. Le temps de prendre une douche et je file. Tu me prêtes encore ta moto ? Au fait... T.K. Desaï, ça te dit quelque chose ?
– Un écrivain connu. Du talent. De la solidité. Pourquoi ?
– Je l'ai rencontré. C'est un ami de Malika. A Simla leurs maisons sont voisines. En fait j'ai dîné et dormi chez lui. Mais...
– Mais ?
– Je crois qu'il m'a menti.
– Comment cela ?
– Il prétendait ne pas savoir où se trouve Malika. J'incline à penser le contraire.
Aziz est surpris :
– Pourquoi t'aurait-il menti ?
Al se fait évasif :
– Va-t-en savoir...
– Le maître de danse t'a menti, c'est un fait, commente Aziz, songeur. Et maintenant Desaï... Vois-tu, les maîtres de danse sont possessifs et jaloux. Malika est célèbre. Il l'a formée. Il prend soin d'elle depuis vingt ans. Sa réussite, c'est aussi la

sienne. Il estime qu'il a des droits sur elle. Qu'elle lui doit son succès, son renom. Qu'elle est le fruit de son travail, de son talent, de sa patience. C'est d'elle aussi qu'il tient sa réputation de maître de danse, qu'il reçoit le plus clair de son argent. Il vit d'elle. Pour elle. Tout les lie. Alors il se méfie de ce qui est étranger, de tout ce qui pourrait s'interposer. De toi a priori. C'est compréhensible. Mais Desaï... Je ne vois pas... Quels sont ses sentiments ? Jalousie ? Méfiance ?... Lui porterait-il une amitié exclusive ?

– Je me suis dit cela. Mais — Al détache les mots pour leur donner plus de force — Malika est mienne. Malika est à moi.

Aziz regarde pensivement son ami.

– Prends la Kawa. La route est bonne jusqu'à Mathura. Tu pourras faire des pointes de vitesse. Ça t'amusera ! Vraiment, tu ne veux pas déjeuner ?

– Non. A bientôt !

Il s'est douché, il a dit au revoir à Aziz sans remarquer que celui-ci croisait discrètement le majeur et l'index pour conjurer le mauvais sort et maintenant il file sur la Stinger. Elle est vive, ardente. Puissante. Un vrai plaisir ! Il traverse les quartiers sud de la ville, prend la direction de Mathura. Les usines neuves se succèdent de chaque côté de la route, puis s'espacent, et c'est la campagne plate aux vastes champs parsemés d'arbres aux feuillages ronds.

Al conduit vite. Ignorant tout de l'Inde, il traverse ces étendues comme il ferait d'une région quelconque. Il ne sait pas qu'il roule sur la route qui, par Mathura, reliait les deux capitales de l'empire moghol, Delhi et Agra. Il ne sait pas que ces hautes bornes pointues qu'il voit à distances régulières dans les champs marquaient l'itinéraire des cavaliers qui portaient le courrier impérial d'une ville à l'autre. Il ne sait pas que Mathura est une cité sainte et que s'y trouve aussi un musée qui contient parmi les plus belles sculptures du monde. Il ne sait pas qu'à Agra se dressent le Taj Mahal et le Fort Rouge aux deux mosquées de marbre blanc. Il ignore que ces paons qui errent dans la campagne sont des animaux sacrés. Il ne sait rien. Calé sur sa moto, il fonce vers un lieu, Mathura, qui pour lui n'a qu'un sens : il va retrouver Malika.

Elle l'a sauvé. Lui a redonné le goût de vivre.

Il lui a suffi d'un regard pour le ramener sur la rive.

Peu à peu on perd pied, on se noie.

On ne s'en aperçoit pas tout de suite. Parfois du dégoût. Un peu de fatigue. Tu hausses les épaules et tu repars. Car la vie est là, autour de toi, en toi, qui te fouette les sangs et qui t'excite. La moto, les femmes, les copains, la musique. La drogue, il n'a jamais essayé. Il est un homme du réel. Tu ne peux pas être un vrai champion si tu te drogues. Mais les femmes... Surtout les femmes. Car il est beau. Puissant. Dans sa tenue de cuir noir, un prince des ténèbres. Et quand il enlève son casque, découvrant ses yeux clairs, libérant sa chevelure, un ange de lumière. Et quand il dévêt son corps athlétique, couturé de cicatrices, quand il dévoile son sexe proéminent, car il bande comme un cerf, elles s'ouvrent, elles se donnent, gémissant d'être bientôt pénétrées. Il les a fait hurler de jouissance et on se racontait ça entre copains. Il les a prises, mais elles l'ont possédé. Depuis qu'une belle dame l'a initié, c'était dans un château normand où la chorale venait de chanter, il avait quatorze ans, il n'a jamais dit non. Un joli visage, des seins provocants, un galbe de jambe, des cuissards suggestifs, il flambait, il laissait tout, partait en chasse. Elles ont créé l'habitude. Le besoin. La moto aiguisait son ardeur. Il la chevauchait comme un corps féminin, sa colonne vertébrale, ses reins vibraient, tressautaient, accumulant, exacerbant sa puissance sexuelle, et il savait que là-bas, juste à la ligne d'arrivée, elles l'épiaient, l'attendaient, l'aspirant, le buvant déjà. La musique du jazz était moins brutale, mais plus perfide peut-être, qui lui tendait les nerfs, aiguisait son désir. Insensiblement il a placé toujours plus haut la barre de la jouissance. Il voulait chaque fois que ce fût plus intense, plus fort, et choisissait ses partenaires en conséquence. Déçu le plus souvent, alors suscitant fébrilement une nouvelle aventure. Provisoirement exaucé, alors s'enivrant, s'enthousiasmant, puis recherchant ailleurs l'accomplissement supérieur. Avec, de temps en temps, un retour à la raison, une velléité de sagesse. Mais les femmes étaient là, qui l'appelaient, le provoquaient.

Au début, au tout début, son premier, son grand amour, celui de l'adolescence... Elle avait dix-huit ans et lui vingt... Ce...

Il a roulé pendant une heure dans les campagnes rongées de soleil et il atteint Mathura. Il se perd dans les ruelles d'un bazar, demande son chemin, s'égare à nouveau, trouve non sans mal l'ashram au sud de la ville. Fixée sur deux piquets, une planche porte l'inscription en lettres noires : Anandabhavan. Au-delà serpente un sentier cahoteux. Il s'y engage au pas pour ne pas abîmer sa machine. Des bâtiments surgissent devant lui, qui paraissent déserts. Le ciel est bleu, pur de tout nuage, la terre cuit sous le soleil. Pas un souffle d'air.

Malika est là.

En y regardant bien, sur le mur du premier bâtiment, une pancarte : Welcome.

Il enlève son casque d'où tombent des gouttes de sueur, descend de la moto qu'il enchaîne. Sous ce ciel bleu, sous ce soleil qui le brûle, dans ce silence, il regarde l'ashram.

Elle est là.

Il avance vers le bâtiment, pousse la porte.

D'abord, il n'y voit rien. Un trou noir, car la pièce est plongée dans l'ombre. Puis, sa vision s'adaptant, il distingue les feuillages épais d'une plante grimpante et, au-delà, en contrebas, un homme assis sur un tapis. Il n'aperçoit que sa tête, couronnée de cheveux blancs et ras, et ses mains. L'une est posée sur un gros livre, un livre de comptes sans doute, l'autre, agile, s'affaire sur un boulier.

La tête se relève. Apparaît un visage naïf. Un sourire :

– Que puis-je pour vous, Monsieur ?

Al respire un grand coup. De bonheur.

– Je voudrais voir Malika, dit-il.

– Oh, vous la manquez de peu, répond le vieillard en penchant de côté la tête Elle n'est plus là. Elle est partie.

Al bronche sous le choc.

– Partie ? Répète-t-il.

– Oui, ce matin.

– Ce matin... Où ?

– Je l'ignore, Monsieur.

Il ne saurait dire comment il a quitté la pièce obscure, mais le voici à nouveau dehors dans la lumière aveuglante, tanguant, puis tournant sur lui-même comme un chien fou. Une force subite l'a projeté hors de la pièce et il est là, hébété, serrant ses poings à les briser pour ne pas hurler de stupeur. Les paroles du vieillard l'ont pris totalement au dépourvu. Malika n'est pas là. Ce qu'il tenait pour sûr et certain disparaît tout d'un coup. La présence attendue, imminente, éclate, s'évanouit comme une bulle savonneuse. Une douleur le point au ventre. Un gémissement sourd de ses lèvres.

Malika est partie.

... Il montait, joyeux, l'escalier. Il atteignait le deuxième étage, appuyait sur la porte. Proférait déjà un mot d'amour, de tendresse. Mais la porte était fermée. Surpris, il fouillait dans sa poche pour y prendre la clef. Entrait dans la chambre, regardait autour de lui, vaguement conscient d'un changement, d'un manque. Il ouvrait la garde-robe. Vide. Brutalement, l'un après l'autre, tous les tiroirs. Vides. Alors il se ruait au rez-de-chaussée, interrogeait le réceptionniste. Oui, Madame était partie. Deux heures plus tôt. Avec ses valises. Où ? On ne savait pas.

La scène se répète ici, inacceptable. Elle a quitté l'ashram. Ce matin. Pour une destination inconnue.

Une sueur d'angoisse coule sur son visage. Il porte sa main à sa tempe.

Quelqu'un lui touche le bras. C'est le petit vieux qui lui demande d'une voix implorante :

– Vous n'êtes pas bien, Monsieur ?

– Non ! Hurle-t-il. Je ne suis pas bien !

Il saisit le petit vieux par sa chemise, le hisse jusqu'à lui et, les yeux dans les yeux, lui crie au visage :

– Où est-elle ? Dites-moi ! Où est-elle ?

– Je ne sais pas, je le jure, Monsieur, hoquette l'homme.

Al le repose à terre. Il détale et disparaît dans l'ashram. Ironiquement un paon se met à crier.

Autour de lui c'est tout le paysage qui vacille. Le sol monte et descend, les murs de l'ashram se disloquent, projetant les toits en position de guingois. Al fléchit sur ses jambes.

Combien de temps reste-t-il ainsi prostré sur le sol ?

Implacable, le soleil le couve de ses feux. Il n'en est même pas conscient.

Gesticulant, le petit vieux paraît sur le seuil de l'ashram. Il parle à quelqu'un derrière lui, s'efface. Surgit un autre homme, vêtu de blanc, grand, imposant. Cet homme s'approche d'Al effondré, le contemple.

– Venez, dit-il.

Al ne bouge pas.

– Venez, répète l'homme. Et il le prend par l'épaule.

Sa voix est forte, mais persuasive et raisonnable. Al se lève, suit l'homme dans la pièce sombre. Le petit vieux a disparu.

– Asseyez-vous, dit l'homme.

Al s'assoit sur le vieux tapis, son interlocuteur fait de même.

– Mon nom est Prem. Je suis l'administrateur de cet ashram. Qui êtes-vous ?

– Je m'appelle Al, dit celui-ci. Et il baisse la tête.

– D'où venez-vous ?

– De Delhi.

Vous souhaitiez voir Malika ? Elle est partie ce matin.

Al hoche la tête.

– Vous paraissez bouleversé. Est-ce si grave ?

Al garde le silence. Le regard de Prem pèse sur lui.

– S'agit-il d'une affaire importante ? Très importante ?

Al ne répond pas. L'angoisse noue sa gorge.

Prem reprend :

– A dire vrai, nous avons été surpris de ce départ inopiné. Nous pensions que Malika resterait quelques jours encore avec nous. Subitement, semble-t-il, elle a changé d'avis.

Al lève les yeux :

– Subitement ?

– Et sans raison apparente.

– Elle ne s'est pas expliquée ?

– Non. Nous n'avons pas posé de questions. Voyez-vous, nous sommes très discrets. C'est l'une des règles établies par le Maître. Ici, chacun fait ce qu'il veut. Pourtant...

– Pourtant ?

– Elle paraissait agitée. Depuis son arrivée, il y a trois jours, je la trouvais nerveuse. Mais ce n'est qu'une impression.

Al s'efforce de comprendre.

– Hier soir, elle ne parlait pas de départ. Ce matin, elle part soudain. A quelle heure ?

– Aux environs de midi.

– Que s'est-il passé entre temps ? Cette nuit ? Ce matin ?

– Rien, à ma connaissance.

– Lui a-t-on téléphoné ?

– Nous n'avons pas le téléphone, Nous voulons le calme et le silence. Nous fuyons l'agitation du monde extérieur.

– Malika venait-elle ici pour y trouver le calme et le silence ?

– Naturellement. Mais aussi et surtout pour recevoir l'enseignement du Maître.

– Le Maître ?

– Notre guru. Satyananda.

– Venait-elle souvent ?

– Une fois l'an, je pense.

– Depuis longtemps ?

– Quatre ou cinq ans.

– Peut-être... Commence Al...

– Oui ?

– Peut-être le Maître connaît-il...

– La raison de son départ ? Elle ne l'a pas vu ce matin, j'en suis sûr. Mais — un sourire éclaire le visage de Prem — peut-être sait-il, en effet. Le Maître sait beaucoup de choses.

Al dit brusquement :

– Je veux lui parler !

Prem hésite.

– Soit, dit-il enfin. Il aura un instant de libre à six heures. Je lui demanderai de vous recevoir. Mais — cette fois, Prem émet un petit rire — ne soyez pas surpris par la forme de sa réponse.

– Que voulez-vous dire ?

– L'enseignement d'un Maître peut s'exprimer de deux façons : dans le silence, par le regard. Ou par la parole. Satyananda privilégie le silence. C'est dans son regard, peut-être, que vous lirez la réponse. Parfois il écrit quelques mots sur un papier.

Al regimbe. Cet homme se moque-t-il de lui ? Pourtant il paraît sérieux, honnête.

– J'interrogerai le Maître, murmure-t-il, les dents serrées.

– Si c'est nécessaire...

– Comment cela ?

– Il n'est pas exclu que, dès le premier regard, avant que vous ayez prononcé un seul mot, le Maître ait perçu votre problème. En ce cas sa réponse, qu'elle soit silencieuse, orale ou écrite, devancera votre question. Je sais, tout cela peut paraître étrange. Mais c'est ainsi. Venez. Il n'est pas loin de quatre heures. Vous devez vous reposer.

Prem s'est levé. Al le suit. Ils quittent la pièce obscure par une porte latérale et débouchent sur un jardin qu'enserrent sur trois côtés des constructions basses précédées d'une galerie surélevée à auvent. Là sont les chambres des hôtes de l'ashram. Prem pousse une porte.

– Étendez-vous. Dormez, si possible. Je viendrai vous chercher à six heures.

Il le quitte.

La chambre est exiguë, presque une cellule de moine. Un lit et sa moustiquaire, une table, une chaise, au plafond une ampoule électrique sans abat-jour. Dans un coin trois cintres en fil de fer pendent à une tringle.

Al pose son casque sur la table, enlève ses chaussures, se jette sur le lit. Il ferme les yeux.

Il est éreinté. Brisé. Son esprit butte sur l'inexplicable. Il pivote sur lui-même et, allongé sur le ventre, enfouit sa tête dans ses bras.

Où est-elle ? Pourquoi est-elle partie ?

Il poursuit une ombre insaisissable, il tend les mains, va la saisir, et soudain, au moment précis où il croit la tenir, elle disparaît, s'évanouit.

Le fuit-elle ? S'enfuit-elle à chacune de ses approches ? Mais, encore une fois, elle ne pouvait savoir qu'il viendrait à Delhi, à Simla, ici-même.

A-t-elle changé ? Ne voudrait-elle plus de lui ?

Si Malika le trahit, il n'a plus de raison de vivre.

Pourquoi le sauver, si c'était pour le repousser ensuite ? Il ne fallait pas lui réapprendre à vivre. Il eût mieux valu le laisser mourir. Il ne fallait pas lui laisser croire que tout était encore possible.

L'a-t-il déçue ? A-t-elle soudain pensé qu'elle faisait fausse route ? Qu'il était indigne ? Il lui a tout dit, n'a rien caché. L'a-t-elle jugé méprisable ?

C'est cela sans doute. Elle l'a vu sous son vrai jour. Elle a eu peur.

Hélène croyait en lui. Elle l'aimait. A dix-huit ans. Jusqu'à l'imposer à ses parents, jusqu'à les quitter, car, eux, ils l'avaient deviné et ne voulaient pas de lui. Six ans. Elle a tenu six ans. Et puis l'argent, les femmes... Il n'a jamais eu d'argent. Il lui en fallait, certes. Mais pas pour Hélène. Pas pour leur fils. Pour la moto. Ça coûte cher de courir. Il devait l'entretenir, sa moto, la réparer, en prendre soin comme d'un pur-sang. Il fallait une camionnette pour la transporter jusqu'aux circuits de courses. A l'île de Man, à Imola, à Nürburgring, à Brno. Ça n'était jamais fini. C'était toujours à refaire. A la maison, jamais un sou. Les factures impayées...

Ne plus penser...

Al se remet sur le dos. Ouvre les yeux.

Ne plus penser. Regarder. Voir. Fuir la nuit de ses yeux clos où les souvenirs l'assaillent. Retrouver le monde pour qu'il l'emplisse et chasse ces pensées qu'il ne peut supporter.

Il est beau, ce jardin, avec ses arbres. Celui-ci, c'est un oranger ; celui-là, un bananier ; Al les reconnaît à leurs fruits. Les autres espèces lui sont étrangères. Il y a des fleurs humides et rouges, appétissantes comme des lèvres de femmes. Et des oiseaux ! C'est fou, ce qu'il y a d'oiseaux dans ce pays ! En voici un qui se pose sur le sol de la galerie, juste devant sa chambre. Il sautille, en quête de je ne sais quoi, incapable de rester sur place. Être comme un oiseau, avec sa cervelle infime, ne voir que ce qui est devant soi, sous son nez, ne plus imaginer, ne plus penser...

Elle s'est battue, Hélène. Pendant six ans elle a défendu son amour, bec et ongles, comme un oiseau désespéré.

Elle couvait et protégeait son nid. Et puis elle a baissé les bras, s'est résignée. Elle constatait que son homme était incapable de nourrir leur enfant. Alors, de son côté, elle s'est mise à travailler, juste pour rapporter à la maison le nécessaire. Et elle a rencontré d'autres hommes. Ils n'avaient pas un corps athlétique ;

ils ne revêtaient pas la combinaison de cuir noir ; la plupart d'entre eux n'étaient pas beaux. Mais ils travaillaient honnêtement, avec sérieux, et ne se berçaient pas d'un rêve de gloire. Dans les derniers mois, elle lui a fait des reproches. Timides, car elle était douce, tendre, d'un tempérament si tranquille. Mais c'était sa façon de le mettre en garde, de lui signaler le danger, de crier au secours. Il ne comprenait pas.

Elle était à lui, n'est-ce pas ?

Quand elle l'a quitté avec leur fils pour se réfugier auprès d'un homme de quinze ans son aîné, solide et mûr, il n'a pas protesté ni tenté de la reprendre. Parce qu'il reconnaissait qu'elle avait raison. Un pilote qui ne pense qu'à ses courses, qui est prêt à risquer sa vie à tout moment, ne devrait pas se charger d'une famille. Ce fut très dur, car il l'aimait. Mais pas au point de changer sa vie, de renoncer à son rêve.

Ces hommes probes et sérieux, il les hait. Il les méprise, car il croit qu'ils ne prennent aucun risque. Il les envie aussi.

Cette histoire, il l'a contée à Malika. A-t-elle pesé dans sa décision de partir ?

Il avait pourtant la conviction qu'elle comprenait et pardonnait tout. Il parlait. Elle écoutait. Et il lui semblait que ses faiblesses, ses fautes, trouvaient leur absolution dans son regard, dans son sourire. Elle passait la main dans ses cheveux, sans mot dire, et il sentait guérir ses blessures et s'apaiser les remords qui pendant des années l'avaient tenaillé. Il pouvait tout lui dire sans honte. Cette assurance d'être compris et absous l'avait sauvé.

Ne plus penser ! Diluer son esprit dans la touffeur confuse de ce parc. S'y perdre pour ne plus souffrir.

Al se lève, sort de la chambre, s'assied sur le sol de la galerie. Il plonge son regard dans les massifs de fleurs, le noie dans leurs profondeurs, comme s'il voulait annuler sa mémoire, son intelligence, occulter en lui-même toute faculté de réfléchir.

Le sentiment d'une présence. De plusieurs présences en fait. Il s'aperçoit que d'autres habitants de l'ashram se sont, comme lui, assis sur le seuil de leur chambre. Certains ont les yeux clos ; d'autres regardent le jardin. Près de lui, sur sa droite, une femme. D'abord il ne lui prête qu'une attention distraite. Une silhouette frêle dans une longue robe jaune, des cheveux blonds tirés sur la nuque, un air de fragilité. Il détourne les yeux et contemple à nouveau les arbres. Mais Al ne saurait traiter une femme jeune et plutôt jolie par l'indifférence. Il l'observe à nouveau. Un profil délicat. La pâleur du visage le frappe. On dirait un reflet de détresse. A cet instant l'inconnue tourne elle aussi la tête; leurs regards se croisent. Des yeux bleus, pense-t-il. Elle le salue d'une infime inclinaison de tête. Il répond. Leurs regards se quittent et se reportent sur le jardin.

Prem avance à grands pas dans l'allée centrale, se dirigeant vers lui.

– Il est bientôt six heures, dit-il. Venez.

Ils quittent le jardin, s'engagent dans un bosquet parsemé de huttes aux toits de palmes. L'une d'elles est un peu à l'écart. Prem l'indique du doigt :

– C'est là, dit-il. Avant d'entrer vous enlèverez vos chaussures.

Al est intimidé. Il demande :

– Comment faut-il appeler le Maître?

– Guruji. N'ayez crainte. Son accueil est des plus simples.

Prem s'est éloigné. Al regarde la hutte. Les murs de terre sont de couleur ocre. De gracieux dessins à la craie, blancs et noirs, décorent le seuil devant la porte ouverte. Tout est calme, net, d'une parfaite propreté.

Malika vient ici, une fois l'an, voir cet homme. Que lui demande-t-elle? Qu'apprend-t-elle de lui?

Sait-il où elle est? Va-t-il l'aider?

Al enlève ses chaussures, carre légèrement les épaules, entre dans la hutte.

Un très vieil homme est assis sur le sol. Il est vêtu d'un châle blanc qui laisse une épaule découverte. Ses bras, d'une extrême maigreur, sont tendus en avant, les mains, paumes tournées vers le haut, reposant sur les genoux. Ses cheveux blancs tombent sur ses épaules; ses yeux sont clos.

Autour du vieillard la hutte est vide. Rien sur les murs, rien sur le sol.

Al ne sait que faire. Doit-il parler le premier?

– Asseyez-vous, dit une voix douce.

Al s'assied. Les yeux clos s'ouvrent devant lui.

Sur la route de Simla le regard d'un ermite l'avait effrayé parce qu'il y avait vu l'image insoutenable du vide. Le regard qui se lève sur lui en ce moment est tout autre. Al y perçoit la même profondeur, insondable, indicible, mais elle ne le terrifie pas, bien au contraire. De ces yeux jaillit une lumière chaude, on la dirait bleutée, qui l'enveloppe d'affection et de compassion.

– Vous êtes l'ami de Malika ? Demande le Maître.

– Oui, balbutie Al. Je croyais la trouver ici. Mais elle est partie.

– Elle est partie, répète Guruji en hochant la tête.

– Savez-vous où elle est, Guruji ?

Le vieillard a-t-il entendu la question ?

– La goutte de pluie tombe dans la rivière, la rivière va au fleuve, le fleuve se jette dans la mer, dit-il comme se parlant à lui-même... Pourquoi faut-il que vous revoyez Malika ?

– Parce que... Al rougit brusquement. Parce qu'elle m'est nécessaire. Parce... je l'aime.

Grands dieux, il n'a jamais employé ces mots là !

Le regard bleuté le tient sous son empire, lui ôtant toute peur, tout respect humain.

– Soyez fier et béni d'aimer, dit le Maître avec un sourire de père. Mais connaissez-vous. Connaissez votre amour. Nous devons apprendre à voir clair. En aucun cas ne soyons dupes.

– Je suis sûr d'aimer Malika, dit Al.

– L'océan qui accueille les fleuves, les rivières, la moindre goutte de pluie, est amour. Il les accueille, c'est ainsi. Il les aime, c'est ainsi.

– Savez-vous où se trouve Malika ? Demande Al d'une voix suppliante.

– Elle est partie, dit le vieillard en hochant à nouveau la tête. Mais vous pouvez la revoir. Au fond de cet ashram coule la rivière Yamuna. Allez sur sa rive, ce soir, à l'heure où le soleil se couche. Regardez bien. Allez, mon fils.

Un dernier sourire. Le Maître referme les yeux. Al se retire sans bruit.

Le monde est bleuté. Bleuté comme la lumière qui jaillit des yeux du Maître. C'est étrange. Le monde a changé de couleur.

Debout devant la hutte à toit de palmes, Al passe sa main sur ses yeux. La couleur persiste. Non, ce n'est pas un mirage. Le monde est bleu. Il tente de rassembler ses esprits qui lui échappent. Une force supérieure l'a traversé qui le transporte au-delà de lui-même. Peut-être devrait-il s'abandonner à cette force, à ce charme. N'y aurait-il pas beaucoup à découvrir, à apprendre ? Confuse, cette question surgit en lui. Mais la vieille habitude l'emporte, qui est de raisonner. Il tente de se rappeler et d'analyser les paroles, les expressions du visage du Maître. La goutte de pluie, la rivière, le fleuve, la mer. Cela paraît banal. Il a déjà lu ça quelque part. A moins qu'il n'ait la fausse impression de l'avoir lu. Les petites rivières vont aux grands fleuves... Le ruissellement successif, progressif, universel, on connaît ça. Mais y aurait-il un sens plus profond, caché ? Un sens qui s'appliquerait à Malika, à lui-même ? Et ces trois mots : un océan d'amour. On a dit ça, aussi. Tant de fois. Une autre banalité. Et pourtant, non, un homme comme le Maître ne saurait débiter des platitudes. Sa bouche, avare en paroles, ne peut exprimer que l'essentiel. Car il est extraordinaire, il est formidable, cet homme. Il l'a impressionné, subjugué. Al n'aurait jamais pu imaginer ça. Dans toute sa vie il n'a jamais rencontré quelqu'un de cet acabit. La preuve que le Maître ne saurait tromper ou se tromper, c'est la lumière bleutée qui émane de lui. De ses yeux, sans doute, mais, à y bien réfléchir, de toute sa personne aussi. C'est bien cela, c'est tout son corps, c'est tout lui qui irradie la lumière. Comme une tendresse de père ; d'un père qui serait supérieur à tous les autres. Et c'est cette lumière que Malika vient recueillir une fois l'an, parce que, la connaissant, elle ne peut plus s'en passer. Tel est le secret de Malika. Il partage aussi cela avec elle, la connaissance de la lumière bleue. Et il va la retrouver tout à l'heure, au coucher du soleil, sur la rive de ce fleuve. Le Maître l'a dit. C'est donc certain. Il va la prendre dans ses bras, elle se serrera contre lui, passera la main dans ses cheveux. Ils se regarderont et puis ils parleront de la lumière bleue.

Prem disait vrai. Le Maître peut s'exprimer en paroles. Mais c'est surtout la lumière émanant de lui qui enseigne.

Une cloche tinte. Al ne l'entend pas.

Debout devant la hutte du Maître, il regarde le monde bleuté.

Une silhouette vêtue de jaune s'est approchée. Une main s'est posée sur son bras :

– Il est sept heures. C'est le moment du dîner. Venez.

– Je n'ai pas faim, répond-t-il machinalement.

Il croit reconnaître cette femme en jaune. Mais seule lui importe la hauteur du soleil à l'horizon bleuté.

– Venez, répète-t-elle. Le soleil se couchera à huit heures.

Il tressaille parce qu'elle a parlé du soleil, puis, comme un enfant docile, il la suit.

Le tenant par la main, elle l'emmène vers une salle basse dont les dix fenêtres sont déjà éclairées. Avant d'y pénétrer ils se déchaussent. A l'intérieur une centaine de personnes sont assises sur le sol, le dos au mur. Le Maître vient de s'installer à l'extrémité droite. La jeune femme en jaune conduit Al de l'autre côté, où restent quelques places. Ils s'assoient à leur tour. Le Maître dit une prière ; l'assistance répond en chœur. Portant des marmites, des hommes, des femmes sortent de la cuisine. Avec des louches ils versent du riz et de la purée de lentilles sur les feuilles de bananiers posées devant les convives. En silence chacun mange avec sa main.

Al touche à peine à sa portion. Il regarde le Maître et la nappe lumineuse que le soleil déclinant plaque sur le mur. Lentement elle décroît.

Le Maître a terminé sa pitance. Il se lève, salue et sort.

Al se lève à son tour, quitte la salle. Oubliant ses chaussures, il regarde autour de lui, tente de s'orienter.

– Où est la rivière ? Demande-t-il à un Indien qui passe.

D'un geste de la main l'homme lui indique la direction.

Il longe les huttes aux toits de palme, passe une porte dans la clôture de l'ashram, traverse un bois d'eucalyptus.

Au-delà s'ouvre une coulée d'air libre. Est-ce le lit de la rivière ? Oui, la voici, large et paisible, qui faufile ses bras sinueux entre des bancs de sable et des îles herbeuses. Le soleil couchant colore ses eaux de teintes roses, assombrit les îles, avive le jaune des sables alanguis. A l'horizon le ciel est rouge.

Du haut de la berge abrupte Al scrute le paysage. Il cherche Malika du regard. Mais le paysage est vide. Là-bas, pourtant, s'envole un oiseau blanc.

Il n'y a personne près de la rivière. Malika n'est pas là. Elle n'est pas encore arrivée.

Et si... Si elle ne venait pas?

Al observe le ciel à l'occident. Le disque du soleil touche la ligne d'horizon. Dans quelques minutes il va disparaître.

Al place soudain ses mains en porte-voix devant sa bouche et hurle :

Malika! Malika!

Seul lui répond le silence.

Il descend la berge en courant, sans même s'apercevoir qu'il est pieds nus, et, comme un fou, court à la rivière. Là, il se tourne à droite, à gauche, hurle à nouveau :

Malika! Malika!

Mais ne lui répond que la nuit tombante.

Qu'est-ce que cela veut dire? L'aurait-on trompé? Le Maître...

C'est impossible! Lui, à qui on ne la fait pas, qui n'a jamais pris des vessies pour des lanternes, qui ne croit à rien, il a cru en cet homme. Il y croit! Mais alors, où est Malika?

Malika! Crie-t-il. Et il épie les ténèbres montantes comme ferait un animal aux abois.

Le disque du soleil a diminué de moitié.

Un mouvement d'ailes, là-bas. Sans doute l'oiseau aux ailes blanches. Malika va-t-elle venir?

Il reste ainsi, debout, aux aguets, tendu comme un arc. L'ombre le gagne, s'étend. Des eaux de la rivière on ne voit plus que quelques ourlets, les îles ont disparu, les sables sont invisibles.

C'est la paix de la nuit.

C'est le vide.

Al tombe sur ses genoux en sanglotant.

Il perd à nouveau la notion du temps. Quand il se relève, une immense lassitude l'accable. La nuit est noire, les étoiles scintillent faiblement. Il s'oriente tant bien que mal, repère la berge, la gravit à tâtons. Un sentiment de morne abattement l'habite.

Alors qu'il entre dans le bois d'eucalyptus, soudain, une douleur fulgurante. Il a marché sur une branche d'épineux dont deux épines s'enfoncent dans son pied. Des larmes lui montent aux yeux, autant d'exaspération que de souffrance. Il s'assied, tire d'un coup sec sur la branche, les épines restent dans son pied. Il en trouve les têtes, l'une après l'autre les extirpe. Elles sont longues, vernissées, rigides. Il les jette, mais leur pointe a dû se casser dans la chair, car la douleur revient quand il se remet à marcher, bien que moins vive. En claudiquant il traverse le bois, atteint la clôture de l'ashram qu'il suit de la main jusqu'à ce qu'il trouve la porte. Des lumières luisent dans les huttes de palmes, lui indiquant le chemin. Cette hutte, est-ce celle du Maître ? Et s'il entrait pour demander des comptes ? Pour lui dire que Malika n'était pas au bord de la rivière, qu'il n'y a rien vu ni personne, sinon l'oiseau blanc qui s'en allait, et que, tout vieux que l'on soit, on ne se moque pas ainsi des gens ? Mais il ne s'arrête pas, sans doute par lassitude — où trouverait-il la force d'interroger, d'exiger ? — davantage sans doute parce qu'il perçoit confusément que c'est inutile, il n'a pas compris cet homme, ou cet homme ne l'a pas compris, ils ne parlaient pas le même langage ni ne se plaçaient sur le même plan. Ces idées ne sont pas claires, elles existent en lui à l'état vague et informulé, tapies à l'intérieur de quelque chose en lui-même, mais leur présence est assez efficace pour le dissuader de s'arrêter.

Une ampoule électrique solitaire brûle dans le réfectoire dont un Indien lave le sol à grande eau. Al récupère ses chaussures, mais il ne peut les mettre, il a trop mal. Boitant toujours il coupe à travers le jardin, atteint le bâtiment des hôtes, sa cellule. Il s'écroule d'un bloc sur son lit.

Il ne pense pas. Son esprit est coincé dans une impasse. Mais il souffre. Non point de ces misérables épines et de cet élancement dans son pied, mais d'un manque, d'un vide. Du vide. Tout est noir et vide comme la nuit. Sans solution. Sans espérance. Il a connu cela naguère, quand il voulait se tuer. C'était il y a quelques mois à peine. Une affaire, en somme, de logique. Puisqu'il avait tout raté, puisque tout était fermé, fini, vide, puisque la seule perspective offerte était un surcroît de dégoût, il ne lui restait plus qu'à opter pour le vide lui-même, en refusant la vie vaine et douloureuse, en choisissant la mort. C'est alors qu'était apparue la lumière sûre et secourable. Il y avait cru. Mais Malika n'est plus. Il retrouve la nuit et le vide, plus absolus, plus amers. Rien à faire. Nada.

Les yeux vides du vieillard sur la route de Simla... Ils s'approchent, le fixent, monstrueux comme ces yeux d'insectes magnifiés par le microscope. Ils l'englobent, ils le dévorent. Al frémit, sursaute d'horreur.

Soudain, épuisé, il s'endort.

Le soleil brille. Il caresse les fleurs, joue avec les oiseaux et les branches. Al s'éveille, se frotte les yeux. Où est-il? Assis sur le lit, il inspecte du regard la cellule, par la porte restée ouverte voit le jardin. Il se lève, gémit; son pied gauche le brûle. Tout lui revient d'un coup, l'ashram, le Maître, la rivière, la vaine attente de Malika. Il a un rire bref, passe sa main sur sa tempe. Traînant la jambe, il avance jusqu'à la galerie. Une femme est là, assise, vêtue de jaune, qui contemple le jardin. Elle lève vers lui un visage chiffonné et des yeux bleus noyés d'inquiétude.

– Je vous reconnais, dit Al, brusquement irrité. Qui êtes-vous donc?

– Je m'appelle Kristin. Je suis Américaine.

– Pourquoi m'avez-vous conduit au réfectoire?

– Vous étiez épuisé.

– Je ne demandais rien. Pourquoi m'avez-vous parlé du soleil?

– Vous le regardiez...

– Je me moque du soleil, dit Al. Je me moque de tout. Je n'ai besoin de personne.

Il hésite un instant, réaffirme :

– De personne.

– Vous semblez avoir mal?

– Ce n'est rien. Des épines stupides.

– Asseyez-vous. Montrez. Tenez-vous à ce que cela s'infecte?

Al hausse les épaules :

– Évidemment non.

– Attendez.

Elle entre dans sa chambre, revient avec un pansement et un flacon.

– Je n'ai pas besoin d'infirmière, bougonne Al.

– Méfiez-vous. Ces épineux sont bien connus. Vous risquez une forte fièvre et de boiter pendant un mois. Il ne faut pas garder ces bouts d'épines dans votre pied. Vous devez voir un médecin.

Al ne répond pas. Cette fille l'énerve. Elle est là quand on ne souhaite pas sa présence, se mêle de ce qui ne la regarde pas, prend des airs éplorés.

– Pourquoi me regardez-vous ainsi ? Je ne suis pas un revenant !

– Vous me rappelez quelqu'un.

– Ah bon ? Et qui ?

– Mêlez-vous de vos affaires.

Elle lui cloue le bec à présent ! C'est bon. Il ne dira plus rien.

– Et puis... Vous avez parlé toute la nuit. Vous avez...

– J'ai... quoi ?

– Vous avez geint.

– Et je vous ai empêchée de dormir ?

Elle hausse les épaules :

– Cela n'a pas d'importance. Un mot revenait dans votre cauchemar.

– Lequel ?

– Malika.

Al se rétracte, serre les lèvres. Qu'a-t-il dit ? Qu'a-t-elle entendu ?

– Cela m'a surprise, car je connais une Malika. Je... Je me suis demandé si c'était la même.

Aux aguets soudain, Al la dévisage :

– Qui est-elle votre Malika ? Demande-t-il d'une voix soudain conciliante. Où l'avez vous rencontrée ?

– Ici. Elle vient de passer trois jours à l'ashram. Elle logeait dans votre chambre.

– Dans...

Al en a le souffle coupé. Il reprend pourtant :

– Et elle est partie hier matin ?

– Oui.

– Pourquoi ?

– Je n'en sais rien.

– Où est-elle ?

– Je ne sais pas.
– Donc vous ne savez rien du tout!
– Non, je ne sais rien.
Al comprend qu'il fait fausse route. A quoi sert de la brusquer?
– Je suis un ami de Malika, dit-il en s'efforçant de calmer sa voix. J'ai été déçu de ne pas la trouver ici.
– On s'en douterait.
– Elle vous a parlé?
– Elle en avait besoin.
– Pourquoi dites-vous cela?
– C'était évident. Le premier jour, rien. Juste bonjour, bonsoir. Ensuite, c'était plus fort qu'elle, et de parler, et de parler.
– De quoi?
– De son métier. De ses récents voyages. Puis de choses générales. De la vie, par exemple.
– Que disait-elle?
– Qu'elle est courte. Mystérieuse. Qu'au fond on ne sait pas ce que c'est. Mais que cela n'a pas d'importance.
– Vous a-t-elle parlé d'un séjour en France?
– Non.
– Ou de quelqu'un qui s'appelle Al?
Kristin lui décoche un sourire irritant :
– C'est vous, n'est-ce pas? Non, elle ne m'a pas parlé de vous.
Un silence.
– Pourquoi avez-vous eu l'impression que cela la soulageait de parler? Etait-elle nerveuse?
– Elle était calme. D'un calme impressionnant. Mais ce n'était qu'apparence. En profondeur je la sentais tendue, inquiète. Mon Dieu, qu'elle était belle! Vous l'aimez?
– Cela ne vous regarde pas.
– La réponse du berger à la bergère. Excusez-moi. De toute façon ma question était inutile.
– Vous avez été surprise de son départ?
– Je ne m'y attendais pas.
– A-t-elle reçu une visite?
– Non. Du moins je ne crois pas.
– Mais elle a vu le Maître?

– Le deuxième jour. Elle me l'a dit. Mais elle ne m'a fait aucune confidence. Naturellement je ne l'ai pas interrogée.
– Donc, aucune visite, aucun message ?
– Un message ?... Après tout, peut-être.
Al se raidit :
– Expliquez-vous.
– Hier matin, un gamin a frappé à sa porte. Il tenait un papier à la main. Je n'y ai guère prêté attention. Et n'y ai plus pensé.
– Quelle heure était-il ?
– Aux environs de dix heures.
Deux heures plus tard Malika partait soudain...
– Vous le connaissez, ce gamin ?
– Je ne l'avais jamais vu.
Prem apparaît dans le jardin :
– Des jeunes gens admirent votre moto. Ils la touchent. Je ne voudrais pas qu'ils l'abîment. Vous devriez aller voir.
– Excusez-moi, Kristin.
Al se lève, s'éloigne en boitant. Effectivement des jeunes gens font cercle autour de la Kawasaki. L'un d'eux est assis sur la selle et manie au hasard les commandes. Al s'approche, débonnaire :
– Elle est belle, n'est-ce pas ? Elle vous plaît ?
Silence approbateur.
– Excusez-moi. Il faut que je la range. Je ne dois pas la laisser au soleil.
Il enlève la chaîne, saisit le guidon, pousse la Stinger vers l'ashram. Voici le petit vieux. Al s'arrête brusquement :
– J'ai été brutal avec vous. Pardonnez-moi.
Le petit vieux panique. Il secoue violemment la tête :
– Ce n'était rien, Monsieur.
– Puis-je vous poser une question ? Hier matin, un gamin n'a-t-il pas porté à Malika un message ?
Le petit vieux réfléchit. Son visage s'éclaire :
– Effectivement, Monsieur ! Un gamin est venu. Je lui ai indiqué la chambre.
– Quel était ce message ?
Visage éploré du petit vieux :
– Je l'ignore, Monsieur.
– Ce gamin, vous le connaissez ?

Oh, qu'il est malheureux, le petit vieux! Comme il voudrait faire plaisir, répondre oui!

– Ah, Monsieur, comment le connaîtrais-je? Pour une roupie n'importe qui peut confier un message à un gamin. Et il y a des milliers de gamins dans cette ville!

– Merci.

Al passe son chemin. Il n'en saura pas davantage.

Il range la Kawasaki dans le jardin, regagne sa chambre. Étendu sur le lit, il pense que Malika a vécu ici juste avant lui. Elle a dormi dans ce lit, pendu ses saris à ces cintres, touché cette table, cette chaise. Comme lui, elle regardait le jardin. Elle a rencontré le Maître, parlé à Kristin. Elle avait besoin de parler. Pourquoi cette nervosité patente? A cause de lui?

– Al?

C'est Kristin. Indécise, elle se tient sur le seuil de la porte.

– Entrez, dit Al.

Elle s'assied sur la chaise.

– Peut-être...

– Oui?

– ... Puis-je vous être utile... Vous voulez la retrouver, n'est-ce pas?

Al cille :

– Oui

– Sait-on jamais... Malika m'a parlé d'une amie qu'elle allait revoir. Elle n'a précisé ni le lieu, ni la date. Mais c'était, semblait-il, un projet bien arrêté. Peut-être une trace à suivre...

– Qui est cette amie?

– Je crois avoir bien retenu son nom : Bégum Jahan. Bégum, c'est un titre musulman. Disons, comme Lady en anglais.

– Begum Jahan, répète Al.

– Elle habite Lucknow. C'est une amie d'enfance de Malika, qui elle-même a grandi à Lucknow. Vous ne le saviez pas?

– Non. Où est-ce, Lucknow?

– A l'Est de Delhi. Autrefois, m'a dit Malika, une ville célèbre. Une ville de princes, d'architectes, de peintres et de poètes.

– Rien d'autre?

– Non, Al.

– Je vous remercie.

D'un air excédé, Aziz repose le combiné du téléphone :

– Tu as compris ?

– Elle n'est pas à Simla ?

– Non. Le gardien est sans nouvelles. Elle n'est pas à Simla. Elle n'est pas à Delhi. Tu viens de le vérifier toi-même, la maison est fermée. Elle n'est plus à l'ashram. Donc, tu as compris ?

– J'ai compris... quoi ?

– Que quelque chose ne va pas. Il y a là un signe. C'est manifeste. C'est évident. Cela crève les yeux !

– Un signe ? Quel signe ?

– Chaque fois que tu approches d'un lieu où se trouve Malika, elle disparaît. C'est clair, non ?

Le regard d'Al s'assombrit. Sa voix se charge de colère :

– Tu veux dire qu'elle me fuit ?

– Non, puisque tu arrives toujours impromptu et qu'elle ne peut savoir que tu viens. C'est plus fort que ça !

– Je ne te suis pas.

Aziz lève les bras au ciel :

– Vraiment, tu ne vois pas ? Tu ne comprends pas ? C'est le destin. Il est décidé, il est établi, il est certain que tu ne reverras plus Malika. C'est ainsi.

– Tu veux rire ?

– Je ne ris pas. C'est clair comme de l'eau de roche. Un échec, soit. Deux, c'est étrange. Trois, plus d'hésitation.

Al toise son ami :
– Qu'est-ce que tu chantes avec le destin ? C'est un curieux concours de circonstances. De la malchance, si tu préfères. Un point c'est tout. Je pars pour Lucknow.
Aziz ne peut réprimer sa colère. Ses yeux noirs étincellent :
– Vous êtes tous les mêmes, vous, les Occidentaux ! Vous ne voyez rien, ne sentez rien, ne comprenez rien, ou trop tard ! Ah, ne t'obstine pas !
– Et pourquoi donc ?
– Rappelle toi les paroles du Maître. Allez au bord de la rivière. Malika y sera. Or elle n'y était pas. Il savait qu'elle n'y serait pas. Il a voulu te confronter à l'absence. Te faire comprendre que tu ne la reverrais jamais plus.
– Tu interprètes. Comme lui tu racontes n'importe quoi. J'ai été dupe de ce vieillard et de son aura bleue. Mais peu importe. J'ai un indice, le message du gamin. Et une piste, la Begum, à Lucknow. J'y vais.
Aziz change de ton. Sa voix devient grave, presque suppliante.
– Il ne faut pas se dresser contre le destin, Al. Nous savons cela, en Orient. C'est dangereux et inutile.
Al hausse les épaules :
– Permets moi de penser qu'il faut affronter les difficultés. S'accrocher.
– Mais enfin, explose Aziz, à quoi rime toute cette affaire ? Tu as toujours couru les femmes ! Tu en as toujours changé ! Une de perdue, mille de retrouvées ! Oublie celle-ci !
– Cette fois, ce n'est pas pareil, dit Al doucement. C'est elle ou rien. C'est du définitif.
Leurs regards s'affrontent. Aziz soupire :
– Soit. Fais ce que tu veux. Je t'aurai prévenu.
– Tu... tu me la prêtes ?
Aziz se met à rire :
– Bien sûr. Garde la Kawa. Mais, tu sais, jusqu'à Lucknow il y a cinq cents kilomètres. Le train serait aussi rapide.
– Je préfère rouler. Ça me détend.
– Tu veux de l'argent ? Oui ? Et on va chez le médecin. Il t'enlèvera ces épines.

– Un dernier point. Appelle les renseignements. Demande l'adresse de la Begum.

– Le médecin d'abord ! Allons-y !

Aziz hoche la tête et, mécontent, grommelle :

– Vieux fou, va !

Il a franchi le pont métallique qu'il connaît déjà et pris la route de l'est. C'est la Grand Trunk Road, la voie centrale qui d'est en ouest, de Calcutta au Pakistan, traverse l'immense plaine indo-gangétique. Autour de lui grouille la cohue des cycles, des autobus, des camions, mais il n'y prête guère attention. Tout à ses pensées, il pilote machinalement la Kawasaki, un sourire aux lèvres.

Diable d'Aziz, avec sa crainte du destin ! Le destin, lui, il ne connaît pas. Il y a les circonstances, la volonté qui les affronte, et c'est tout. Où en serait-il, s'il s'était incliné devant ce qu'Aziz appelle le destin ! Il s'est blessé huit fois, neuf fois, dix fois, et il a continué à courir. L'argent lui a manqué cent fois, pendant des années, mais il n'a pas mis les pouces. Lorsque Hélène l'a quitté, il s'est saoulé pendant douze jours, puis il est monté à Paris où Yves venait de dégotter la gérance d'un petit garage. Il a rafistolé sa vieille moto, à ses risques et périls, et trouvé la solution. Oh, ce n'était pas la meilleure, Monsieur Serge était un forban, mais il n'avait pas le choix. Monsieur Serge, il était bien sapé, complet coupé sur mesure, cravate élégante, chaque jour changée, et chapeau gris clair. Les mains un peu trop velues, sans doute, et le luxe tapageur, briquet, montre et cure-dent en or, sans compter quelques molaires. Le marlou de première classe, en somme. Il arrêtait sa Jaguar devant le garage d'Yves — j'aime les jeunes, disait-il — et observait Al qui bricolait sa moto dans un coin. Il admirait, faisait des compliments. Un jour, il lui a proposé de travailler dans son propre garage, à mi-temps, mais bien payé. Ça a marché. Et puis il lui a demandé de lui rendre un service pour un ami en difficulté auquel, prétendait-il, il ne pouvait rien refuser. Il s'agissait de maquiller le numéro d'immatriculation d'un moteur de voiture — avec quelques beaux billets de cinq cents francs à la clef. Al n'aimait pas ça, mais il avait cru ne pas pouvoir refuser. Il avait gratté le numéro gravé dans le métal, poli la surface, gravé un autre numéro. Un vrai chef-d'œuvre, même à la loupe on n'y voyait rien. Monsieur Serge s'était écrié que c'était superbe et avait sorti d'autres billets de son portefeuille, en peau de lézard bien entendu. C'est ainsi qu'Al était entré dans l'engrenage. Chaque jour ou presque il maquillait un nouveau moteur de voiture. Son habileté, son expertise comme disait Monsieur Serge qui piquait certains mots nobles dans le journal, était devenue admirable. Il se faisait de l'or. Monsieur Serge l'invitait à déjeuner avec de jolies femmes dans un restaurant de luxe proche d'un hôtel confidentiel. Il l'appelait fiston ou mon petit. Al s'était acheté une moto neuve, une 500 Yamaha, et flambait dans les courses. Et puis la police s'en était mêlée. Allez savoir comment ! Quelqu'un avait parlé sans doute. C'est alors que le bon Monsieur Serge avait sorti son couteau. Mais ce couteau n'était pas le destin, car Al en avait dévié la lame et il avait assommé Monsieur Serge. Puis il s'était tiré en province. Par précaution. En restant aux aguets. On avait assaisonné Monsieur Serge, qui avait écopé de six ans de prison. Al n'avait pas été inquiété.

Et cette manie d'Aziz de surveiller les signes ! Un signe, qu'est-ce que c'est ? Un avertissement, un clin d'œil de ce fameux destin ? Allons donc ! Il y a des faits. Des incidents. Voire des accidents. D'aucuns décident de leur donner une valeur particulière, un sens. Al, lui, n'est pas de ceux-là. A ce compte, il n'aurait jamais agi, jamais couru. Un vrai pilote ne croit pas aux signes. Il n'y a pas de signe dans la piste humide et glissante. Il n'y en a pas dans le dérapage du concurrent qui va s'écraser sur le rail. Cela veut dire : attention ! C'est tout. Il n'y en avait pas dans ce corbeau cocasse qui, un jour, Dieu sait pourquoi, à l'arrêt, s'était perché sur son guidon. Ni dans ce corbillard qu'il a croisé, au tour de Corse, ce jour où Yves, son copain, son ami, son frère, s'est fracassé la tête sur un mur.

Yves...

Pour Al il n'y a jamais eu, il n'y aura jamais de destin inexorable ou de signe fatidique. Il a subi des défaites, il a dû s'incliner devant des forces supérieures. Il a abandonné la moto. Mais il n'a jamais cédé sans combattre. Il n'a jamais cru au destin.

La route est libre. Al donne un coup d'accélérateur et file comme une flèche.

Aziz raisonne en dépit du bon sens. S'il y a des signes — et ce n'est pas le cas ! — ils ne sont pas négatifs, mais positifs. Oui ! Par trois fois un indice, révélé au dernier moment, lui a permis de poursuivre sa quête. Malika n'est pas à Delhi, il apprend qu'elle se trouve à Simla. Il la manque à Simla, mais parvient à savoir qu'elle est partie pour Mathura. Elle a quitté l'ashram et voici qu'une femme en jaune lui fait part de son projet de revoir cette amie de Lucknow. On dirait que le destin — mais il n'y a pas de destin ! — le prend chaque fois par la main pour le remettre sur la piste.

Et maintenant il fonce vers Lucknow. Y sera-t-elle ? Va-t-il enfin la retrouver ? Est-ce la dernière étape de cette course désespérante, de ce rallye de cauchemar, succession de rencontres manquées ? Il ne sait pas. C'en est fini de la certitude. Mais il veut y croire. S'il le faut, il ira n'importe où, il la cherchera au bout du monde Il n'y a pas d'autre espoir ni d'autre perspective. S'il y a un destin — mais il n'y en a pas ! — le sien est de reprendre Malika et de la garder avec lui, car elle seule peut le sauver de la mort.

Elle est curieuse, cette Kristin avec sa robe jaune, sa chevelure blonde serrée en chignon — dénouée, elle doit lui tomber jusqu'aux reins — son minois pâle et ses yeux noyés de tristesse. Il lui rappelle quelqu'un, a-t-elle laissé échapper. Un mari ? Un amant ? Après tout, peu importe. Comme elle l'a dit aussi, ce n'est pas son affaire. En tout cas, elle lui a rendu un fameux service. Et elle ne s'est pas trompée. Le nom de la Begum était exact. Le service des renseignements a aussitôt donné son numéro de téléphone et son adresse Bandaria Bagh Road, Lucknow. Si tout va bien, il y sera dans trois heures. Une amie de Malika. Une amie d'enfance. A quoi peut-elle ressembler, cette Begum ?

Jamais, jamais plus ne rencontrer le vide. Jamais plus ne croiser le regard du vieil homme sur la route de Simla.

Il n'est pas sûr de ses sentiments envers le Maître. Selon toutes apparences, celui-ci l'a trompé. Et pourtant, au fond des fonds, il ne peut pas y croire. Il était vrai, ce regard de pénétration et de douceur. Il n'a pas rêvé, elle était réelle cette aura bleutée, illuminante, qui émanait de sa personne. Et pourquoi l'aurait-il abusé ? Mais le fait est là, Malika ne se trouvait pas sur la rive du fleuve. Alors, quelque chose lui échappe. Quelque chose qu'il n'aurait ni vu ni compris. Ah, au diable ces questions, ces devinettes !

L'explication d'Aziz — le confronter à la réalité, à la dureté de l'absence définitive — ne tient pas debout. Elle fait fi des paroles du Maître. Celui-ci a annoncé. Promis. Et il a menti.

La Grand Trunk Road allonge ses kilomètres rectilignes. Dans les campagne grillées, les villages écrasent leurs toits de chaume, de maigres palmiers dressent vers le ciel leurs plumeaux dépenaillés. De-ci de-là des buffles gris, couleur de terre, à l'encolure basse. Dans un coin du ciel il y a des nuages, mais ils ne se décideront pas à crever. Tout grésille dans la touffeur accablante.

Al dégouline de sueur. La carcasse de la Stinger est brûlante. Comme son casque, elle irradie la chaleur. Mais il n'en a cure. Un défi, un défi de plus ! Il en a vu d'autres dans le raid Paris-Dakar. La monotonie aveuglante des sables. L'horizon vide, le soleil inhumain. Aujourd'hui c'est de la broutille !

Il trouvera Malika au bout de cette course. Il la trouvera où qu'elle soit. Rien ne l'arrêtera. S'il le faut, il se battra contre tout et tout le monde. Il s'est toujours battu.

A deux heures de l'après-midi, traversant un village, il s'arrête devant une échoppe pour y boire du thé. Magnifique, étincelante, enchaînée comme une belle esclave, la Kawasaki brille au soleil. Aussitôt c'est la ruée des jeunes. Ils s'attroupent, la couvent du regard, l'admirent. Leurs visages sont graves, mais leurs yeux luisent de désir. Du coin de l'œil Al les surveille. Leur attention muette et forcenée l'émeut. Il la comprend si bien. N'a-t-il pas, lui aussi, autrefois, rêvé devant une belle machine ? Envoûté, hypnotisé, bouleversé, au point de n'en plus dormir la nuit ? C'était la puissance, la vitesse, le succès, l'évasion. Une mode ? Que non ! La passion de l'homme moderne qui a pris la suite du cavalier. Pendant des siècles, des millénaires, les empereurs, les rois, les puissants, tous ceux qui le pouvaient, se sont disputés les chevaux les plus magnifiques. Le rêve continue. Il est dans notre sang.

Al a fini son thé. Il se lève, ôte la chaîne, ajuste son casque. Lentement la foule des jeunes s'entrouvre. Il s'éloigne dans un nuage de poussière, suivi par des regards où la convoitise le dispute au regret.

File la route rectiligne...

Comme son père le boxeur dont le gagne-pain était de se battre, il s'est toujours battu. Pour devenir un champion. Pour subsister. Pour apprendre. Après la révision déchirante, pour maîtriser la guitare. Il est revenu de tout, mais pas de cette bagarre, de cette lutte. C'est sa seule fierté. Avec Yves à ses côtés, d'abord. Puis seul. Il l'aimait, Yves. C'était, lui aussi, un petit gars de Rouen. Mais il chantait faux, il ne faisait pas partie de la chorale. Seulement il avait, comme Al, l'obsession, le virus, la folie de la moto. Et la volonté de s'imposer, de gagner. Il était doué. Plus doué qu'Al, il faut le reconnaître. Plus méthodique. Plus régulier. Plus sûr. Ils étaient rivaux, mais copains et complices. Ils se chamaillaient, mais se conseillaient et s'aidaient. Ils étaient différents. Au début d'une course Al prenait toujours l'avantage. La puissance remarquable de ses jambes lui permettait d'imprimer à sa moto une poussée formidable, de sauter en selle avant les autres et de gagner quelques mètres au départ. Il faisait un départ canon. Yves traînait. Mais sa science des virages était supérieure et Al le voyait bientôt revenir, passer en tête. Ce n'était pas toujours le cas mais souvent. Je suis la tortue, disait Yves en riant. Tu es le lièvre. Gare à tes oreilles ! Car il riait sans cesse. Dans la gadoue d'une piste boueuse. Sous la pluie. Sous le soleil accablant. Avec du cambouis jusqu'aux yeux et un problème mécanique impossible à résoudre. Gagnant, perdant, il riait. Quel métier de fous ! Il faut être fou ! Nous sommes fous ! Nous y laisserons la peau ! Et il éclatait de rire. Une seule fois Al l'avait vu grave. C'était à l'île de Man, en mer d'Irlande. Un circuit dur, dangereux, à croire qu'on l'avait spécialement conçu pour les trompe-la-mort. Après la course on leur avait montré le mémorial des pilotes, avec ses innombrables noms. Là, il ne riait pas, Yves. Et ensuite, par exception, il s'était envoyé un verre d'alcool. Parce qu'il ne buvait jamais, ne fumait pas, ne courait pas les filles. A sa façon c'était un ascète. L'alcool, ça te tue les réflexes. Fumer, à quoi ça sert ? Les filles, ça te prend du temps et ça pompe ton énergie.

Une seule passion, la moto. Dévorante. L'étoffe d'un grand champion. Plus qu'Al, il faut l'admettre. Mais on ne doit pas s'écraser la tête sur un mur. C'est imprévisible. C'est la déveine. Et ça réduit les efforts de dix années à néant.

Lucknow. Les faubourgs. Al en a maintenant l'habitude. Des bicoques. Des masures. Un écheveau inextricable de lignes électriques qui se croisent dans tous les sens. Des rues cahoteuses où il faut avancer au pas dans la cohue, le vacarme, la poussière, le tohu-bohu. Les vélos, les camions, les carrioles vous frôlent à deux centimètres. Attention, ne pas abîmer la belle machine d'Aziz ! Tous les trois mètres un type va se jeter sous vos roues. C'est, à chaque pas, le miracle. Et puis, peu à peu, la ville s'ouvre, s'affirme, s'ordonne. Lucknow se révèle dans sa beauté. Des mosquées, des jardins, des palais couronnés de dômes. Al s'arrête, prend dans sa poche le plan qu'Aziz lui a donné. D'abord se rendre à l'hôtel, se changer, il ne peut se présenter ainsi, couvert de crasse et de sueur, chez la Begum qui doit être une sorte de princesse. Impérial Hôtel, Abbott Road, le voici sur le plan, aux limites sud de la ville. Allons-y.

Un hôtel vaste et silencieux qui a conservé son air de dignité britannique. Après les remous de la foule, c'est reposant. Une chambre immense, on y logerait six personnes.

Le mobilier est quelque peu bancal. Surtout le système de douche ne consent à livrer qu'un filet d'eau. Peu importe, avec de la patience on y arrive, et c'est si bon après les brûlures de la route.

Cinq heures. Douché, rasé de frais, Al se donne un coup de peigne devant le miroir au tain défaillant. Maintenant il est correct, propre et net. Son pied gauche n'est plus douloureux. Allons-y.

D'après le plan, la maison de la Begum n'est pas loin de l'hôtel. Al suit Abbott Road jusqu'à Park Road, tourne à droite, longe un instant le Wingfield Park, parvient à un embranchement. Là il se trompe et, levant le nez, se retrouve devant un bâtiment de taille impressionnante, chargé de statues, dont les deux ailes massives et courbes semblent vouloir l'étreindre pour l'étouffer. Comment saurait-il que cette demeure farfelue et puissante, mélange de forteresse et de palais, fut bâtie autrefois par un

Français richissime, Claude Martin ? Il revient sur ses pas, déniche Bandaria Bagh Road. Lentement il en longe les résidences cossues. Tapies dans leurs jardins. Numéro 38. C'est ici. Un portail s'ouvre dans un mur sévère qui clôt un parc touffu. On distingue à peine les deux toits jumeaux de la maison dans le fouillis des troncs et des branches.

Ici habite la Begum. Ici se trouve Malika, peut-être. Al insiste sur le peut-être. Une cloche est fixée au portail. Al descend de sa moto et sonne.

De l'autre côté du portail il ne voit qu'une muraille végétale, car le chemin qui mène à la maison décrit une courbe et s'enfonce dans la verdure. Il attend. Un domestique paraît soudain. Il est grand, maigre, vêtu de blanc. Un nez d'aigle. Ses yeux noirs, inquisiteurs, examinent Al.

– Salam, Sahib. Que désirez-vous ?

– Je voudrais voir Jahan Begum.

– Qui dois-je annoncer ?

– Un visiteur étranger. Français. Mon nom est Al.

– Veuillez me suivre, Sahib.

L'homme a pris une clef dans sa poche et ouvert le portail. Poussant sa moto devant lui, Al le franchit. Sur les pas du domestique il parcourt une cinquantaine de mètres, au dernier tournant de l'allée voit la maison. C'est une vaste demeure en bois, de style colonial. Un péristyle aux colonnes blanches égaie sa masse grise. Elle est ancienne, un siècle peut-être, mais, on le sent, remarquablement entretenue. Comme le parc qui, sous son apparent désordre, révèle des soins constants et minutieux. Une petite armée de serviteurs et de jardiniers, invisibles pour l'instant, doit travailler dans ce domaine. L'argent est là, ainsi que la surveillance et le goût.

– Par ici, Sahib.

Al abandonne la Stinger, monte le perron que recouvre un tissu tenu par des tringles de cuivre. Le voici dans un hall d'entrée dépourvu de meubles, mais dont le sol et les murs sont décorés de tapis somptueux.

Le domestique ouvre une porte, s'efface :

– S'il vous plaît, Sahib.

Et d'ajouter en détachant les syllabes :

– Je vais m'enquérir si la Begum est à même de vous recevoir.

Une phrase pesée et apprise, de toute évidence.

Al pénètre dans un salon aux dimensions impressionnantes. Partout s'impose le luxe prodigieux des tapis. Il y en a de très vieux, quelque peu usés, mais aux couleurs, aux dessins admirables. D'autres sont plus récents, mais d'une égale qualité. Al n'y connaît rien, mais il perçoit qu'il a sous les yeux des merveilles. Son regard se charge de douceur. On dirait que dans la lumière de l'après-midi déclinant chacun de ces chefs-d'œuvre s'émeut, s'éveille, pour offrir sa pleine charge de beauté. Et ces couleurs se conjuguent, ces dessins s'entrelacent, dans un magnifique enchantement.

Des sofas, des fauteuils bas, des lampadaires de cuivre.

Par les fenêtres on voit les arbres, les massifs de fleurs du parc.

Règne un profond silence.

– La Begum va descendre, Sahib.

Le domestique a déjà disparu.

Al n'a pas bronché. On le reçoit, c'est bien. Il attend. Et voilà qu'une pensée lui vient soudain, brutale comme une gifle. Que se passe-t-il à l'étage supérieur ? En ce moment précis, à quelques mètres de lui, juste au-dessus de sa tête ? La Begum ne se tourne-t-elle pas vers Malika qui l'aurait précédé ici de quelques heures pour lui dire : un certain Al, cet Al dont tu m'as parlé, demande à me voir ? Et quelle est la réaction de Malika, quelle est sa réponse ? Une réponse de rejet, de fuite ? Ne lui dis pas que je suis ici. Abuse le ! Renvoie le !

Al se met à trembler. Pour la première fois il a douté de Malika.

Autour de lui les tapis enchanteurs exsudent maintenant un charme maléfique. Il étouffe. Son front se couvre de sueur. Il passe sa main sur sa tempe. Se cambre. Se cabre. Il s'arme, s'attend à vivre l'impossible, à affronter l'insoutenable. Il se prépare au pire.

Dans son dos une porte s'ouvre. Al fait volte-face.

C'est la Begum.

La stupeur le cloue sur place. De sa vie il n'a peut-être jamais vu femme aussi belle.

Elle est grande. Brune. Le sari drape son corps sans occulter ce que ses formes, harmonieuses et pleines, ont d'infiniment désirable. Le port est noble ; le visage est régulier, jeune mais déjà empreint de majesté. Un voile de gaze recouvre l'abondante chevelure. La femme indienne dans sa plénitude et sa distinction souveraine.

Al ne peut être insensible au charme d'une femme. Celle-ci est si belle — aussi belle que Malika — qu'il ne peut s'empêcher de frissonner.

Jahan Begum avance lentement vers lui, le salue d'un signe de tête. Elle paraît intriguée.

– Asseyez-vous, dit-elle, en désignant un fauteuil.

Elle prend place sur un sofa, le regarde à nouveau :

– Que puis-je pour vous ?

Al laisse passer deux secondes, puis répond brusquement :

– Je suis un ami de Malika.

A-t-elle cillé ? Peut-être. Dans son regard paraît une certaine surprise. Mais ses traits sont calmes. Trop calmes ! N'y a-t-il pas là un effort de volonté ? Si elle joue, quelle admirable comédienne !

– Vraiment ? L'avez-vous vue récemment ? Comment va-t-elle ?

Al ne répond pas tout de suite. Il le sent bien, sous son air de politesse, la Begum l'étudie. Al aime que les femmes l'étudient, il s'en sort toujours à son avantage.

– C'est moi, Begum, qui viens m'enquérir d'elle.

Jahan Begum ouvre des grands yeux :

– Comment cela ?

– En ce moment n'êtes-vous pas en rapport avec elle ?

La Begum ne cache pas sa surprise :

– Nous nous téléphonons, en effet. Mais comment savez vous...

Al a un geste évasif de la main :

– Oh, c'est simple. Je croyais la trouver à l'ashram d'Anandabhavan, à Mathura. Elle venait de le quitter. Quelqu'un m'a dit, à l'ashram, qu'elle avait l'intention de venir vous voir. J'ai pensé me présenter chez vous dans l'espoir de l'y rencontrer.

Jahan Begum approuve de la tête :

– Je comprends. Non, elle n'est pas ici.
– Viendra-t-elle bientôt ?
– Je ne sais. Nous n'avons rien décidé. Mais si vous avez hâte de la voir, allez donc chez elle à Delhi.
– Elle n'y est pas.
– Vraiment ? A Simla peut-être ? Elle y possède une maison. Voulez-vous que nous lui téléphonions ?
– C'est inutile. Elle n'y est pas non plus.
La Begum le regarde en silence.
– Si je comprends bien, vous la suivez à la trace. Et vous ne la trouvez pas.
– C'est cela. Quand vous a-t-elle téléphoné ?
– Mais... il y a quelques jours.
– De Delhi ?
– Précisément.
– De Simla aussi ?
– Oui.
– De Mathura ?
– Non. Si vous connaissez l'ashram, vous savez qu'il n'y a pas le téléphone.
– Lui avez-vous fait parvenir un message à Mathura, un message écrit ?
La Begum paraît interloquée :
– Non.
– Comment allait-elle ?
– Bien, je crois.
– Vous a-t-elle parlé de moi ?
– Ma foi, non. Vous m'inquiétez. A vous entendre, Malika aurait en quelque sorte disparu !
– Absolument pas. Elle est là, successivement présente à Delhi, Simla, Mathura. D'ailleurs elle vous téléphone. Mais chaque fois je la rate de peu, ce qui devient irritant et... désespérant.
Jahan Begum réagit aussitôt :
– Désespérant ?
Al regrette de s'être livré trop avant. Il rougit :
– Oui, désespérant. Je lui porte beaucoup d'amitié.
– Vous la connaissez depuis longtemps ?
– Trois mois.

– Vous l'avez donc rencontrée lors de son récent séjour en Europe ?

– En France, c'est cela.

– Et vous êtes venu la revoir en Inde ?

– Oui.

– Sans l'avertir ?

– J'ai eu ce tort.

Al veut quitter ce terrain délicat. Il interroge à nouveau :

– Et vous, Begum, vous êtes son amie d'enfance, je crois ?

– Nous avons grandi ensemble, ici, à Lucknow.

– Vraiment ? Je croyais que sa famille était du Bengale, de Calcutta.

– C'est exact. Mais son père était un grand magistrat. Un juge. Il a siégé longtemps à Lucknow. C'est donc ici que, toutes petites, nous nous sommes rencontrées. C'est également à Lucknow que Malika s'est initiée à la danse, au Kathak.

– Je pensais qu'elle l'avait appris à Delhi ?

– Non. Le Kathak est une danse du nord de l'Inde. On l'enseigne dans quatre grands centres, à Bénarès, Lucknow, Delhi et Jaipur. Malika a découvert le Kathak à Lucknow. Son premier maître de danse était d'ici. Puis elle a suivi son père à Delhi lorsque celui-ci a été nommé juge à la Cour Suprême. C'est là qu'elle a décidé de se consacrer au Kathak.

– Pourquoi souriez-vous ?

– Je pense aux réactions de sa famille. Ce fut un beau tollé ! Jusqu'à une date assez récente, voyez-vous, il était impensable qu'une jeune fille de bonne famille pût devenir danseuse et s'exhiber en public. La famille de Malika est traditionnelle et orthodoxe. On a tout fait pour la décourager. Mais Malika est extrêmement volontaire. Quitte à rompre momentanément, elle a mis les siens devant le fait accompli. A présent ce n'est plus pareil, les esprits ont évolué. Elle est devenue célèbre. Et tout le monde est satisfait.

– Vous la voyez souvent ?

– Pas assez à mon goût ! Malika est très prise, surtout depuis qu'elle donne des récitals de danse à l'étranger. Il lui arrive, vous le savez, de partir pour plusieurs mois en Europe ou en

Amérique. De mon côté je vais de moins en moins à Delhi. Mon mari est un homme politique. Nous sommes tenus ici. Nous recevons beaucoup. Et j'ai deux enfants.

– En dépit de son opposition initiale, le père de Malika serait sans doute fier de voir sa fille reconnue et célèbre.

– Pourquoi parler au conditionnel ? Il l'est.

– Voulez-vous dire qu'il est encore vivant ?

– Pourquoi serait-il mort ?

– Je l'imaginais décédé. Sans raison à vrai dire...

– C'est un homme d'un certain âge maintenant. Il doit avoir soixante-dix ans. Lorsque Malika est née, il avait la quarantaine. Sa femme, la mère de Malika, était beaucoup plus jeune. Elle est morte peu après la naissance de Malika.

– Il s'appelle Ganguli, n'est-ce pas ?

Imperceptiblement la Begum hésite :

– Ganguli, oui. Justice J.P. Ganguli.

– Où habite-t-il ? A Lucknow ?

Nouvelle hésitation de la Begum :

– Il a pris sa retraite à Calcutta et vit dans la maison familiale.

– Peut-être saurait-il...

– Où se trouve en ce moment Malika ? Peut-être, en effet...

– Pourrais-je suggérer...

– Que nous l'appelions ?

Al a-t-il remarqué l'impatience qui perce dans la voix de la Begum ?

– Pourquoi pas ?... Pourquoi pas ?...

– Je vous en serais reconnaissant.

Jahan Begum se dirige vers le coin du salon où se trouve le téléphone, consulte un carnet d'adresses et appelle Calcutta :

– Allô ! C'est vous, Dadaji ? Ici, Jahan. Comment allez-vous ?... Savez-vous où se trouve Malika ?... Non, elle n'est ni à Delhi ni à Simla. Non, non, rien de grave. Je voulais seulement bavarder avec elle... savoir quand elle viendra à Lucknow. Elle vous a téléphoné ? Comment va-t-elle ? Vous ne l'avez pas encore vue depuis son retour d'Europe ? Si elle vous appelle, dites lui que je cherche à lui parler. Merci ! Prenez bien soin de vous !

Jahan Begum pose le récepteur, se tourne vers Al :

– Elle n'est pas chez son père. Mais je suis sûre qu'il n'y a pas lieu de s'inquiéter. Il doit y avoir une explication toute simple.

Elle reprend place sur le sofa :

– Malika ignore vraiment que vous êtes en Inde ?

– Oui.

– Si je parviens à la joindre, voulez-vous que je lui fasse part de votre présence et de votre visite ici ?

– Bien sûr ! dit Al. Je vais vous donner mon adresse. Elle pourrait m'appeler.

Il prend une carte de visite d'Aziz dans son portefeuille et la lui tend.

– Aziz, le célèbre joueur de tabla ?

– C'est mon ami. Je loge chez lui à Delhi.

Souriante, elle le regarde :

– Vous voici bien introduit dans le monde de la danse et de la musique indiennes : Malika, Aziz...

Al hoche la tête.

– Et vous, que faites-vous ?

– Je suis musicien, dit Al.

– Compositeur ?

– Non, instrumentiste.

– Que jouez-vous ?

– De la guitare.

– C'est ainsi que vous connaissez Aziz ?

– Nous avons travaillé ensemble à Londres. Il y a trois ans de cela.

– C'est un grand artiste.

Elle est tout sourire. Qu'il est agréable de lui parler dans ce salon aux tapis somptueux. Cela le rapproche de Malika. Mais une nuance dans le maintien de la Begum signifie que l'entretien est terminé. Al se lève :

– Je vous remercie de votre accueil. Donc, si Malika...

– C'est entendu. Comptez sur moi.

Elle s'est levée à son tour. Comme s'il avait épié ce signal, le domestique paraît aussitôt. Al s'incline devant la Begum et quitte le salon. Il retrouve la Kawasaki en bas du perron et, guidé par le domestique, se dirige vers la grille.

Il se sent quelque peu soulagé. Certes, Malika n'est pas à Lucknow et cette quête déroutante se prolonge. Mais la Begum — que cette femme est belle ! — l'a reçu fort aimablement et lui a promis d'avertir Malika. Il constate aussi qu'il n'est pas le seul à ignorer où elle se trouve, ce qui en un sens est réconfortant. Et il a parlé d'elle avec son amie d'enfance.

Oh, cette pensée méchante et stupide qu'il a eue tout à l'heure, soupçonnant les deux femmes de comploter impudemment à quelques mètres de lui ! Il en éprouve encore un sentiment de honte, que l'accueil amical de la ravissante Begum ne fait qu'aviver.

Il ne lui reste plus maintenant qu'à attendre que Malika se manifeste ou que la Begum puisse lui parler. Retourner chez Aziz. Prendre son mal en patience...

Ils sont presque en vue du portail quand la cloche se met à sonner. Un visiteur demande à entrer. Quelques pas encore et voici Al devant la grille. De l'autre côté des barreaux se tient un homme grand et maigre, au crâne déplumé. Qui est-ce ? Al a l'impression de le connaître. Mais oui ! C'est l'homme qu'il a rencontré dans le pavillon de danse, à Delhi. C'est le maître de danse de Malika. Ustad Vasudev Maharaj !

Celui-ci se tient droit derrière la grille, le regard perdu dans les feuillages, l'air absent.

Le serviteur a ouvert le portail. Il salue Al. Celui-ci pousse la moto dans la rue et s'assied sur la selle. Mais il ne s'en va pas. Sidéré, il observe le maître de danse qui s'est hâté de franchir la grille et s'éloigne à pas précipités dans l'allée.

C'est bien lui, Al en est sûr ! Et Ustad Vasudev Maharaj a fait semblant de ne pas le reconnaître ! Et il se dépêche maintenant de disparaître de sa vue !

Le maître de danse n'a pas décliné son nom. Le domestique ne lui a rien demandé. Cela signifie qu'il est connu. Il a ses entrées dans la maison !

Al démarre en trombe. Les pensées tourbillonnent dans sa tête si rapides qu'il ne peut les considérer, les classer. Mais un sentiment de stupeur domine où s'est déjà glissé le soupçon. Etre seul, réfléchir. Il regagne l'hôtel, s'enferme à clef dans sa chambre.

Que vient faire à Lucknow le maître de danse ? Chez la Begum ? En ce moment précis ?

Par hasard ? Non, Aziz l'a dit, cet homme vit pour Malika, par Malika. Il ne pense qu'à elle. S'il est ici, c'est à cause d'elle.

La cherche-t-il, lui aussi ? Ou bien... l'a-t-il déjà trouvée ?

Trouvée. Et à Lucknow !

Ce qui signifierait que Malika est bien chez la Begum, qu'elle a refusé de le voir et chargé son amie de l'éconduire.

Ce pressentiment dans le salon tout à l'heure... Cette méfiance dont ensuite il a eu honte...

Al est moite de sueur. Il passe la main sur sa tempe.

Venue de l'ashram, elle était là, avec la Begum. Là, dans la maison, quand il s'est fait annoncer. Elle a dit de le renvoyer. Ce qui fut fait par la charmante, la délicieuse Begum, avec art.

Du grand art, Al ! Et tu n'y as vu que du feu !

Attention. Ne pas s'emballer. Ne pas imaginer le pire. Qui t'assure que Malika est à Lucknow ? Qui te prouve que le maître de danse l'y a trouvée ? Comme toi, il la cherche. Comme tout le monde à vrai dire, car personne ne sait où elle est.

Non ! L'homme qu'il a croisé à la grille n'était ni inquiet, ni désemparé. Gêné certes, contrarié de le rencontrer. Mais ni accablé ni désespéré. Un maître de danse allant voir sa disciple...

Al serre les poings. Comme elle l'a joué, la gracieuse Begum... Téléphonant à Calcutta... Lui proposant d'avertir Malika...

Mais non... Il erre... Il divague... Malika ne peut le fuir. Malika ne peut refuser de le voir.

Et pourtant...

Un instant Al pense à sauter sur sa moto. Il ira chez la Begum, se fera ouvrir, exigera de voir Malika.

Mais s'il se trompe... Si Malika, effectivement, n'est pas à Lucknow...

Se calmer pour y voir plus clair. Attendre un peu. Réfléchir.

A-t-il des cigarettes ? Oui. Il se jette sur le lit et, les yeux au plafond, se met à fumer.

Sa vie se joue en ce moment. Tout dépend de la présence ou non de Malika chez la Begum. Dans l'affirmative... Dans la négative... Assez de suppositions ! Sa décision est prise. La nuit tombée, il ira chez la Begum. Et il fera en sorte de savoir. Il saura !

Sept heures et demie. C'est impossible de rester ainsi étendu sur un lit à se poser des questions torturantes. Pour tuer le temps il descend au bar, qui est vide. Un barman ensommeillé émerge derrière le comptoir. Al commande un whisky qu'il boit à petits traits en se regardant dans le miroir qui lui fait face. Il a mauvaise mine. Il est livide. Ce type aux traits tirés, à la bouche amère, c'est toi, Al, et tu es à la croisée des chemins. Il s'agit de savoir si une certaine femme t'aime encore. Tu en as marre, mon vieux. Tu en as assez. Tout ceci te dépasse. Il eût mieux valu ne jamais rencontrer Malika. Les femmes. Toujours les femmes... Il n'a jamais pu s'en passer et elles l'ont ruiné. Comme une vieille bâtisse est en ruines. Hélène, bien sûr, c'était sa faute. Mais les autres... Il a cru les prendre, et s'est fait avoir. Il professait qu'il y a l'amour d'un côté, le sexe de l'autre. Surtout ne pas mélanger, ne pas confondre les genres. Il s'est servi de son sexe, saisissant toutes les occasions, multipliant les partenaires. Pas d'histoires. Ça marchait. Mais voilà, il s'est repris à aimer. Deux fois. Edith, Béatrice. Il s'est trompé. Et elles l'ont trompé. Alors, il arrive dans la vie un moment où la coupe est pleine. On veut en finir. Surgit Malika. Pour la dernière fois on espère. Jusqu'au moment où l'on se rend compte qu'à nouveau, et définitivement, on s'est fourvoyé.

Un deuxième whisky. Un troisième. Stop ! C'est assez.

Il passe dans la salle à manger. Elle est vaste et désolée. Des ventilateurs tournent au plafond en grinçant une irritante musique. Le linge de table s'effiloche. Quelques pièces d'argenterie cabossées et ternies évoquent une gloire passée. Il n'y a encore aucun client, mais près de la porte de la cuisine un essaim de serviteurs somnolent, vaincus par la lourdeur du temps et la perspective d'une probable inaction. L'un d'eux, très vieux, observe Al de derrière ses lunettes de myope. Regrette-t-il les sahibs d'autrefois ? Peut-être. Le regret lui sied. Il est vraiment très vieux. La vie exclut le regret. Regretter, c'est déjà mourir.

Menu. Curry au poulet... Curry au poisson... Curry aux légumes... N'importe lequel ! Le premier. Curry au poulet. Mais de la bière ! De la bière fraîche. Fraîche surtout Cette salle à manger vous flanque le bourdon et il fait chaud à en crever !

Pour dessert qu'y a-t-il ? Jelly ? Qu'est-ce que c'est, Jelly ? De la gelée ? On lui en sert. C'est rond, rose, translucide. Ça n'a pas de goût et ça tremble comme une vieille fesse. Pas de fruits ? Vous n'avez pas de fruits ? Des bananes ? Qu'est-ce que c'est, cette banane ? On dirait du coton. Heureusement elle n'a que cinq centimètres de long.

Il en a assez de Lucknow. Il en a assez de l'Inde. Il en a assez de tout.

La nuit tombe. On allume des lampes poussiéreuses. C'est le moment de partir.

Al se lève de table. Il se sent lourd. Un dernier whisky pour se doper. Le bar est à nouveau désert et il doit frapper un coup de poing sur le comptoir pour que surgisse le barman ahuri. Il fait cul scc avcc son whisky. En routc !

Ses jambes flageolent et il se morigène : ce n'est pas le moment, Al !

La Kawasaki est au garage. Ça le ragaillardit de la voir. Elle est si belle. Se libérera-t-il jamais de la passion des motos ? Il s'était juré, pourtant...

Les rues sont presque désertes. La chaleur décroît. Il croise un âne gris qui trottine sur la chaussée, sans doute épris d'aventure. L'autre jour il voulait être un oiseau. Maintenant il envie cet âne. Un monde étroit. Borné. Où l'on ne souffre pas. Que racontes-tu ? Qui te dit qu'il ne souffre pas ? Elle est partout, mon cher Al, la souffrance.

Pour ne pas éveiller l'attention, il arrête la Stinger à bonne distance de la maison de la Begum, continue à pied. Il y a clair de lune. Quelques étoiles luisent. Il va savoir. Il va être certain. Si besoin, il demandera, exigera des comptes. Et si le mari de la Begum, l'important politicien, est là, tant mieux ! On s'expliquera d'homme à homme !

Les barreaux du portail brillent dans la lumière d'un réverbère. Al s'en écarte, choisit une zone d'ombre pour escalader le mur. Le voici dans la place. Pourvu qu'il n'y ait pas de chiens !

Lentement, doucement, il se faufile entre les buissons. La maison apparaît dans le clair de lune. Cinq fenêtres sont éclairées. Trois au rez-de-chaussée, sur la droite ; elles correspondent au salon. Deux au premier étage. Devant le perron une voiture est à l'arrêt, phares éteints. Il n'y a pas de chauffeur.

Al se déplace sur la droite sans quitter l'ombre du parc. Il avise un arbre, grimpe sur ses branches basses. De là il voit le salon.

Il y a deux personnes dans le salon. La Begum et le maître de danse. Al les distingue fort bien. Ils sont assis face à face et s'adressent de temps en temps la parole. Ce n'est pas une conversation suivie, animée. L'un parle, l'autre écoute, parfois répond. Puis ils retombent dans leur silence. Bien entendu Al ne peut entendre ce qu'ils disent. Il voit seulement leurs lèvres remuer. D'ailleurs il ne comprendrait pas, car selon toute vraisemblance ils doivent s'exprimer dans une langue indienne.

Pas de Malika.

Il quitte son perchoir, se déplace vers la gauche, prend un peu de recul et observe les deux fenêtres éclairées du premier étage. On bouge dans cette chambre, des ombres s'agitent sur le mur du fond. On bouge sans arrêt, comme si l'on s'affairait à quelque chose, à ranger des affaires par exemple. Al attend. Sa patience est récompensée. Une silhouette s'approche d'une fenêtre. Une silhouette de femme. Malika ? Non, il la voit bien maintenant, c'est une jeune femme, mais ce n'est pas Malika.

Aucun doute, ce n'est pas elle.

Alors ?

Incertain, il rentre dans le sous-bois du parc, se dirige vers le mur d'enceinte, qu'il saute. Autant pour lui ! Ce maudit soupçon l'a conduit à imaginer des choses folles.

Il s'est trompé. Malika n'est pas à Lucknow. Bonne leçon. Il doit se maîtriser. Ne plus permettre à son imagination de battre ainsi la campagne. Voilà ce qu'il doit faire : revenir chez Aziz et attendre. Faire confiance à la Begum.

La lune éclaire les cimes des arbres. Tout est calme et silence.

Al va regagner l'endroit où il a laissé la moto, lorsqu'une lueur paraît dans le parc. Une lueur tournante, qui brille, disparaît, revient. Une voiture — celle qui se trouvait devant le perron sans doute — surgit et s'arrête derrière la grille. Le chauffeur en descend, ouvre le portail, reprend place au volant. Al s'est figé sur place. La voiture franchit la grille, s'arrête à nouveau. Pendant que le chauffeur referme à clef le portail, Al avance à la limite de l'ombre, regarde. La voiture est sous le réverbère. Il distingue deux personnes sur le siège arrière : le maître de danse et une femme dont le visage est en partie dissimulé par un voile. Mais cette femme, ne serait-ce que par son port de tête, les lignes du cou et des épaules, il la reconnaîtrait entre toutes. Cette femme, c'est Malika !

Il ouvre la bouche pour crier : Malika ! Mais la voiture repart et s'éloigne rapidement.

Malika ! Malika ! hurle-t-il, trop tard.

Il regarde avec désespoir autour de lui, la moto est trop loin, il ne peut prendre la voiture en chasse, ses feux arrière ne sont presque plus visibles, ils disparaissent, c'est fini.

Malika ! hurle-t-il à nouveau.

Un coup de folie l'emporte. Il prend son élan, saute sur le mur, retombe dans le parc. Il se rue jusqu'à la maison. La porte n'est pas fermée. Il traverse l'entrée, fait irruption dans le salon.

La Begum est debout au centre de la pièce. Elle se retourne. Al est déjà sur elle, la saisissant aux poignets.

– J'ai vu Malika ! dit-il d'une voix rauque.

Elle tente de se dégager, mais il la tient ferme.

– Qui vous a permis ? Que faites-vous ici ?

– J'ai vu Malika ! répète-t-il. Dans la voiture !

– Que racontez-vous ? Vous êtes fou ?

– Non, je ne suis pas fou ! Vous m'avez menti ! Elle était là, dans la voiture, avec le maître de danse !

– Vous me faites mal ! Lâchez-moi !

– Répondez ! Pourquoi m'avez-vous menti ?

Elle fait face. Elle tient tête. Son visage est pâle, mais elle ne baisse pas les yeux.

– Qui avez-vous vu ? Une femme ? Une femme enveloppée d'un voile ?

L'envie lui prend de la battre. Il la secoue :

– Oui ! Malika !

– Je n'ai pas de compte à vous rendre. Mais cette femme n'est pas Malika. Vous avez vu ma sœur.

Elle parle avec une telle assurance qu'Al, une seconde, hésite. Il faiblit, desserre sa prise.

Jahan Begum masse ses poignets. Elle ne domine plus sa colère :

– Comment êtes-vous entré ici ? En passant par-dessus le mur, comme un voleur ? Qui êtes-vous ? Je ne vous connais pas ! Al... Qu'est-ce que cela signifie, Al ? Vous n'avez pas un nom de famille ? Vous prétendez être un ami de Malika... Qui me le prouve ? Je ne vous ai jamais vu. Je suis assez bonne pour vous recevoir et vous vous conduisez comme un goujat ! Que lui voulez-vous, à Malika ? La connaissez-vous seulement ? Elle ne fréquente pas les gens de votre espèce ! Un musicien, vous ? Qui me l'assure ? Peut-être après tout... Un petit gratteur de guitare ! Sortez d'ici ! Allez-vous en ! Ahmed !

Al se retourne. Trois hommes avancent vers lui. Il n'en a cure, il est de taille à les rosser tous les trois. Mais la Begum l'impressionne. Son indignation, sa sincérité paraissent réelles. Leurs regards s'affrontent. Et c'est lui qui cède devant sa fureur. Sans mot dire il quitte la pièce.

Il ne peut pas dormir. Cette question le taraude : m'a-t-on berné ? Ai-je été dupe ?

Les fenêtres de la chambre sont ouvertes sur la nuit, mais il fait chaud à en crever. Le ventilateur du plafond est inefficace, il brasse un air lourd avec un bruit de crécelle. Al a placé la moustiquaire sur les montants de bois prévus à cet effet, mais les moustiques sont entrés par des trous. Enragés de se sentir en cage, ils l'attaquent avec une hargne redoublée.

Ai-je été dupe ?

Il ressasse la scène de son affrontement avec la Begum. Ces réparties... cette fureur... est-il possible qu'elle n'ait pas été sincère ? Il connaît les simagrées et les ruses des femmes. Si celle-ci l'a trompé, chapeau bas ! Il n'a jamais rencontré une telle comédienne !

La garce !

Il se tourne et retourne sur sa couche moite. Cette moustiquaire, loin de le protéger, l'oppresse. Il l'écarte d'un geste rageur, se lève, allume une cigarette et marche à grands pas dans la chambre.

En fait il est écartelé entre deux impressions puissantes. La vision de Malika dans la voiture. Le sentiment que la Begum disait vrai. L'un exclut l'autre. Il faut choisir.

Pour la présence de Malika : l'élan du cœur, la sensation d'évidence. Contre : l'obscurité relative, le voile ; surtout sa propre obsession de nature à l'abuser. Pour la sincérité de la Begum : l'éclat des yeux, les gestes saccadés, la parole sifflante ; bref l'apparence. Contre...

Contre sa sincérité il n'y a rien. Pourquoi lui aurait-elle menti ? Elle ne l'a jamais vu, il lui est étranger, totalement. A priori elle ne pouvait donc lui porter un sentiment d'aversion ou de haine. Elle l'a reçu aimablement, s'est proposée à lui rendre service. Tout allait bien. C'est lui qui l'a provoquée en se conduisant de façon brutale, inexcusable.

Si la Begum lui a menti, c'est qu'une autre volonté s'est surimposée à la sienne. Laquelle ? Celle du maître de danse ? Ou celle de... Malika ?

Le maître de danse n'était pas encore arrivé lorsque Jahan Begum l'a reçu. Il ignorait d'autre part sa présence. Son influence n'a donc pu déterminer la Begum à mentir — si elle a menti — en lui affirmant qu'elle ignorait où se trouvait Malika.

En revanche l'ordre de mentir a pu venir de Malika elle-même, si elle était déjà dans la maison.

En définitive, peu importe la Begum. La seule question est de savoir si Malika était présente et si elle a demandé à la Begum de l'éconduire.

Al butte toujours sur le même problème. Malika a-t-elle refusé de le voir ? Dans l'affirmative, pourquoi ?

Il écrase rageusement sa cigarette, s'accoude à la fenêtre dans l'espoir de capter une improbable bouffée d'air frais.

Sans le connaître, dans sa fureur, elle l'a bien épinglé, la Begum ! Elle l'a touché aux points sensibles.

Il le sait bien, qu'il n'est pas digne de Malika. Combien de fois s'est-il étonné, en fait émerveillé, qu'elle pût l'aimer ! Ce sentiment d'indignité, il ne l'avait jamais éprouvé vis-à-vis d'une femme. Même en face d'Hélène. Malika est pure. Il ne l'est pas. Elle est noble. Il ne l'est pas. Et elle est plus forte que lui. Mais, l'amour, n'est-ce pas cela ? Il ne réfléchit pas, ne soupèse pas, ne compare pas. Il se donne, simplement. Vous n'êtes pas de son monde, lui a lancé la Begum. Elle ne croyait pas si bien dire. Son adolescence pauvre et besogneuse, il n'en a pas honte. Personne n'est responsable de sa condition de naissance. Mais après... Cette fringale insatiable de sexe n'est-elle pas minable si on la rapporte à l'amour que lui a révélé Malika ? Il a sacrifié la Femme aux femmes. Il a préféré le sexe à l'amour. Le départ d'Hélène aurait dû pourtant lui ouvrir les yeux. Il était aveugle. Et puis, il y a eu ce qu'il appelle, quand il y réfléchit, sa chute... Quand il est sorti de sa cachette à la campagne après l'arrestation de Monsieur Serge, il a claqué ce qui lui restait d'argent à faire la bombe. Et puis il s'est retrouvé sans emploi, sans un sou. Avec quelques copains il s'est lancé dans d'obscurs trafics de pièces de rechange de voitures qu'ils volaient dans les garages et les magasins et revendaient aussi loin que Lyon et Marseille, par camionnettes entières. Avec eux il a connu la zone, les planques, la crainte des flics. Les filles du milieu. La constante suspicion, la ruse débile, la vulgarité, la vanité bravache. Il est entré dans une bande qui écumait les châteaux de la région parisienne, s'est transformé en déménageur nocturne, complice des receleurs. Plusieurs fois ils ont frôlé le drame. Une nuit, près d'Ormesson, un gardien les a surpris alors qu'ils enlevaient des tableaux signalés par un antiquaire. L'homme a tiré, blessant le chef de bande. Al l'a assommé et ils ont pris la fuite. Ils avaient eu chaud.

Malika le sait. Il le lui a dit.

Ils avaient quitté la Côte d'Azur pour Paris, où ils logeaient dans un hôtel de la rive gauche Oui, le fameux hôtel... Malika, qui avait souffert d'une migraine dans la journée, cela lui arrivait parfois, avait voulu sortir pour se promener au bord de la Seine. C'était le soir. Ils erraient sur les berges du côté du Pont Marie. La fraîcheur de l'air la détendait. Enjouée, elle lui donnait le bras, l'interrogeait sur le passé. C'est alors qu'il lui avait parlé de la "chute". Elle avait gardé le silence, puis lui avait dit : c'est un accident de ta vie, Al. Mais ce n'est pas toi. Ce n'est pas toi-même. Oublie le. Détruis le dans ta mémoire. Pour qu'il n'en reste aucune racine, aucune trace. Pour qu'il ne te salisse plus, ne te pèse plus. Il n'a jamais existé. Et elle l'avait embrassé.

Il s'était senti pardonné et absous. Allégé.

A ces moments de sagesse et de bonté, elle était d'une beauté ineffable. De la lumière coulait de ses yeux noirs, et son front, ses lèvres, tout son visage, irradiaient une exquise douceur.

On ne peut aimer Malika et la perdre. La vie n'a plus ni sens ni saveur.

Elle ne fréquente pas les gens de votre espèce, lui a dit la Begum.

Petite garce !

Pauvre Begum qui ne sait pas que Malika l'a choisi, qu'elle l'aime et veut faire sa vie avec lui ! Pauvre Begum qui ignore tout de leur intimité, de leur amour ! Pauvre Begum qui n'a jamais entendu Malika crier de bonheur dans ses bras !

Mais pourquoi l'a-t-elle quitté ?

C'est étrange que personne ne sache où elle se trouve...

Etrange qu'elle paraisse fuir à son approche…

Tout est étrange...

Il n'est pas un pauvre type. Les vols, les sales combines, la zone, ça a duré deux ans. Mais, quand il a touché le fond, il n'y est pas resté. Il a été assez fort pour donner le coup de talon qui l'a ramené à la surface. Cela fut dur. Mais il le fallait. Il n'allait quand même pas finir en tôle ou lardé d'un coup de couteau par un autre Serge. Il a compris, il devait changer sa vie. Quoi qu'il en coûtât. Et il l'a fait ! Ça lui a pris du temps. Il a tâtonné, erré, commis d'autres bêtises. Mais il l'a fait !

Il a renoncé à devenir un grand champion de moto, viré de bord, il s'est tourné vers la musique.

La Begum l'a traité de gratteur de guitare.

Petite garce !

Non, il n'est pas un gratteur de guitare. Mais un guitariste excellent. Reconnu. Recherché. Applaudi. Aziz le sait. Et les autres camarades. Et ses publics de Paris et de Londres. Et Malika le sait aussi.

– Al, s'il te plaît, joue moi de la guitare !

Elle l'écoutait, ravie. Longtemps. Longtemps.

Mais… mais... — sous le coup de la stupeur et de l'émotion Al s'agrippe des deux mains à l'appui de la fenêtre — gratteur de guitare, ces mots sont en contradiction flagrante avec ce que Malika pense de lui. En aucun cas elle ne peut les avoir inspirés. En outre, si elle avait parlé à la Begum de son métier de guitariste, elle aurait au moins indiqué qu'il joue bien, ce qui aurait interdit à la Begum, dans sa colère, d'utiliser ces termes blessants. Or la Begum les a employés. Cela signifie que Malika ne lui a pas parlé de sa guitare, ni sans doute de lui-même. Pourquoi ? Parce que, selon toutes probabilités, elle n'a pas vu la Begum, elle n'était pas à Lucknow.

La preuve ! C'est la preuve !

C'est formidable ! Il a la preuve !

Alors tout est changé. Il s'est trompé. Malika ne le fuit pas, elle n'a pas chargé la Begum de l'éconduire, l'espoir reste entier !

Que va-t-il faire ?

Une nouvelle piste, le père de Malika. A Calcutta. Peut-être y sera-t-elle. A tout le moins il y apprendra quelque chose. Calcutta, ça doit être loin. Il faut regarder la carte. Peu importe, il ira. Pour Malika il irait au bout du monde !

Il est épuisé de fatigue et de joie. Il est heureux. Une jeunesse d'adolescent pétille dans ses veines. En titubant il va jusqu'à son lit, s'y écroule. Il s'endort d'un sommeil pesant.

C'est le matin. Dans le bureau de l'hôtel il téléphone.

– Aziz ? C'est moi, Al. Oui, tout va bien. Je ne suis pas encore condamné par mon destin. Non, elle n'était pas à Lucknow. Oh, je t'en prie, arrête ton sermon. Elle est peut-être à Calcutta. Oui, Cal-cut-ta. Je dis bien Calcutta. Pourquoi pas à Tokyo ? Oh, c'est drôle, j'admire ton esprit. Je dois aller à Calcutta, tu me prêtes la Kawa ? Merci ! De l'argent ? Il vaudrait mieux en effet... Tu m'en envoies poste restante à Calcutta ? Tu es merveilleux ! Tu désapprouves ? Je sais. Écoute, j'ai un autre service à te demander. Vérifie si Malika n'est pas à Delhi ou Simla. Si c'est moi qui téléphone, je risque de tomber sur un gars qui ne parlera que l'hindi et je n'y comprendrai rien. Et tu me rappelles ici pour me donner le résultat. D'accord ? Merci, vieux !

Il prend son petit déjeuner, étudie la carte. Calcutta, c'est à l'extrémité de l'Inde, tout à l'est. Au bout de la Grand Trunk Road. Depuis Lucknow il doit y avoir neuf cents kilomètres. Ça ne fait rien. Ce n'est rien.

– Sahib, Delhi au téléphone.

C'est Aziz.

– Elle n'y est pas ? Je m'y attendais. Donc Calcutta est probable. Pourquoi je vais à Calcutta ? Son père y habite. C'était un juge à la Cour Suprême. Il est maintenant à la retraite. Il s'appelle Justice Ganguli. Je crois qu'il faut lui dire Sir. Je vais le voir. Tu désapprouves ? Je sais bien que tu désapprouves ! Peut-être as-tu raison. Mais, que veux-tu, c'est mon Destin !

En s'esclaffant il raccroche.

A dix heures il est parti. Il traverse les faubourgs orientaux de la ville, s'engage sur la Grand Trunk Road. Neuf cents kilomètres, c'est une bagatelle, mais il ne se fait pas d'illusions. Avec la traversée des grandes villes il lui faudra quinze heures au moins pour les parcourir. C'est dire qu'il n'atteindra Calcutta que dans l'après-midi du lendemain. Il couchera quelque part en route. On verra bien. Pour l'instant il conduit aussi vite que possible.

Ce n'est pas une matinée comme les autres. Le ciel se charge de nuages qui surgissent rapidement du nord-ouest. Ils voilent les rayons du soleil. La chaleur est moins sèche, mais plus pesante. Sa chemise est déjà trempée de sueur.

Si Al connaissait l'Inde, il se dirait sans doute que c'est l'époque de la mousson, que celle-ci peut éclater à tout instant. Mais il est nouveau dans ce pays, son expérience est nulle et il ne sait même pas ce que c'est, la mousson.

Un souci le préoccupe. Il se demande si après la scène de la veille la Begum n'a pas regretté d'avoir téléphoné devant lui au père de Malika et deviné son intention de lui rendre visite. Ne va-t-elle pas appeler le juge pour le mettre en garde ? Attention, Dadaji, il est possible qu'un énergumène demande à vous voir. Méfiez-vous. C'est un goujat qui se prétend l'ami de Malika. Il est coléreux et brutal. A votre place je refuserais de le recevoir. Al va-t-il trouver porte close ? Aura-t-il affaire à un homme prévenu contre lui qui fera en sorte de se débarrasser de lui au plus vite ? C'est une chance à courir. Et puis, peu importe. Il a déjà franchi plusieurs obstacles. Un de plus. Il s'en tirera !

Au fond, en ce moment, c'est un sentiment de jubilation mêlé d'excitation qui l'anime. Comme s'il était à la chasse. Il est sur la piste. Il la suit. Il ira jusqu'au bout. Et malgré toutes ces circonstances invraisemblables qui chaque fois lui font manquer

Malika, il la trouvera. Il la reprendra. Il en est sûr. C'est affaire d'obstination, d'acharnement. L'acharnement, il connaît. Dans ce domaine il a fait ses preuves.

Acharnement à bricoler sa moto. Acharnement à gagner. A devenir un champion. Et ensuite, quand il a sauté le grand pas, acharnement à rattraper le temps perdu pour la musique, à maîtriser la guitare. Sur un autre plan, acharnement à traquer, à séduire les femmes qu'il désirait, à les avoir.

Ce fut très dur de se résoudre à opérer la révision déchirante, d'abandonner la moto. Pendant des mois et des mois il a soupesé le pour et le contre. L'évidence s'imposait peu à peu, mais il n'en voulait pas, car elle détruisait tout ce qu'il avait fait et rêvé jusque là. La moto, c'était sa passion, son obsession de jeunesse. Il aimait la vitesse, la lutte, le risque. Il aimait la nervosité, la puissance, le bruit du moteur, les accélérations, la vision des lignes de la piste filant à toute allure sous lui, autour de lui, l'inclinaison si forte dans les courbes que son genou frôlait le sol, et jusqu'à la meute implacable de ses concurrents qui le harcelaient. Il aimait sa tenue de cuir noir, son casque, et les bottes aux semelles très fines qui gardent entière la sensibilité du pied. Il aimait la victoire, mais aussi la difficulté, le sentiment de s'attaquer à l'impossible, et l'ambiance de fête, de kermesse, le tonitruement des haut-parleurs, les fanions de couleur qui se levaient, s'abaissaient, la présence de la foule subjuguée, haletante, et les femmes qui dans les tribunes le regardaient. Il était le héros, le chevalier, l'ange du risque et de la mort. Mais il avait eu le courage de soumettre cet émerveillement, ce bonheur, au feu de sa critique. Regarde tout cela en face, Al. Sans te mentir ! Tu n'as pas d'argent, tu n'as pas d'appuis, tu n'auras jamais la moto parfaite, le seul qui pouvait t'aider, Yves, est mort. Tu es isolé, condamné au bricolage. Et — regarde-toi en face, Al ! — si tu es un excellent pilote, tu n'as pas — pas tout à fait, Al ! — l'étoffe du grand champion. Ce constat, qu'il avait été difficile de le concevoir, de le formuler et de l'admettre ! Tu as le courage, la force, l'adresse, le savoir, mais tu n'as pas la régularité nécessaire. Tu es un peu trop instable, un peu trop fougueux. Certains jours tu exultes, tu es capable de tout, tu décroches la lune ! Et, la course suivante, inexplicablement, tu accumules les ratés. Va-t-en savoir pourquoi ! On dirait qu'en toi il y a une faille infime qui t'interdit d'être sûr et constant. Bref, d'être un grand champion. Oh oui, cela avait été terrible de se rendre à cette évidence. Et c'est alors que blessé, déchiré, il avait pris la décision de renoncer.

Mais il avait porté la force de sa volonté et de son énergie sur un autre but, la musique. Et sur elle aussi il s'était acharné.

Al en est là de ses réflexions lorsqu'il s'aperçoit que la lumière a décru. L'éclat de la route est moins brutal, moins noire son ombre qui le poursuit en parallèle. Il lève les yeux vers le ciel. Là-haut, très haut, les nuages se développent et s'amoncellent, voilant le soleil. Presque aussitôt des gouttes de pluie larges et pesantes se mettent à tomber. Elles s'écrasent sur la route dont elles font voler la poussière et sur l'acier surchauffé de la moto, où elles grésillent et s'évaporent. L'une d'elles atteint son casque qui vibre comme un diapason. Pas possible, tout arrive, il pleuvrait ! se dit-il. Et il se réjouit de la fraîcheur qu'il en attend. Mais les gouttes, d'abord isolées, se resserrent et deviennent encore plus denses. Il pleut vraiment. Al s'arrêtera-t-il ? Pas question ! Il était trempé de sueur, il le sera de pluie, c'est beaucoup mieux ! Avec la pluie il en a vu bien d'autres. Les circuits glissants, les pistes pourries d'eau, il connaît ça. Cette course du Bol d'Or, par exemple, quand il fit quatre chutes brutales sous une averse froide et tenace.

Il ajuste la visière de son casque, rentre la tête dans les épaules, fonce dans le rideau liquide et mouvant.

Un, deux, trois coups de tonnerre suivis d'éclairs, et voilà la mousson qui crève.

Ce n'est pas une pluie ordinaire, Al. Comprends bien, c'est la mousson.

C'est le déluge tombant du ciel, des pans de murailles d'eau qui s'écroulent, l'écrasent et l'aveuglent. La pluie martèle son casque qui gronde maintenant comme un tambour, en deux secondes il est trempé, il suffoque et son champ de vision devient quasiment nul. Autour de lui cette pluie forcenée monte en glougloutant dans les champs, les fossés, sur la route. Des gerbes liquides jaillissent des deux côtés de la moto. Les pneus disparaissent dans l'eau qui atteindra bientôt les moyeux.

Impossible de continuer ainsi. Que faire ?

Al s'arrête, descend de la Kawasaki et entreprend de la pousser. C'est pénible, c'est absurde, c'est désespérant. Mais il n'y a pas d'autre solution, sinon celle de s'arrêter au milieu de la route et d'attendre. Et cela, c'est encore plus impensable et désespérant.

Avec de l'eau par-dessus les chevilles il avance ainsi sous le déluge, très lentement, pendant un temps qui lui paraît d'une durée infinie. Personne ne le dépasse ou ne le croise, à penser que toute circulation, toute vie s'est arrêtée. Il avance comme un canard ruisselant parce qu'il n'y a rien d'autre à faire et qu'il vaut mieux bouger, faire effort, que rester là, ahuri, désemparé, à jouer les statues de sel.

N'y a-t-il pas une masse compacte et sombre, là, devant lui, sur ce qui doit être le bas-côté de la route ? Il essaie de tenir ouvertes ses paupières que cingle la pluie, écarquille les yeux. Oui, on dirait une forme cubique, une maison peut-être, alors il serait tiré d'affaire. Il tend ses muscles, pousse la Stinger dans cette direction. A mesure qu'il progresse la vision se précise, plus de doute, c'est une bâtisse, peut-être un logis de paysans. Un dernier effort, Al ! Encore vingt mètres, dix mètres ! Il la voit maintenant, cette bicoque. Et il aperçoit même, sur le pas de la porte, des gens qui le regardent, stupéfaits. Un ultime élan, Al ! Littéralement fouetté, chassé par la pluie, il atteint le seuil, abandonne la moto ruisselante et s'engouffre dans l'abri.

Il respire un grand coup, se secoue tel un chien mouillé, se retourne. Le groupe qu'il a traversé a fait lui aussi volte-face. Muets de stupeur, ces gens le contemplent. Il n'arrive pas souvent qu'un sahib inconnu, surgi de nulle part, fasse irruption dans une famille de paysans indiens pour y trouver refuge. Ils sont cinq. Al distingue mal leurs visages dans la pénombre de la pièce. Il y a un homme, une femme, deux enfants et une vieille toute courbée.

L'homme s'incline soudain, porte ses mains jointes à son visage et dit :

– Namaste !

Al devine qu'on le salue et répond d'une autre inclinaison de tête.

L'homme se tourne vers la porte, désigne la pluie d'un grand geste et, le visage hilare, s'écrie :

– Achcha, Sahib, Achcha !

Si Al savait un seul mot d'hindi, il connaîtrait celui-là, le plus courant, qui signifie : c'est bon, c'est bien. Il comprendrait alors que l'homme exulte, qu'il se réjouit de toute son âme que la mousson soit enfin arrivée, car elle apporte la fertilité et la vie, éloigne la menace de l'endettement, de la misère, à terme de la mort. Mais ce mot lui est totalement inconnu et il se perd en conjectures. Celles-ci, d'ailleurs, ne durent pas longtemps, car il se met à frissonner et éternue très fort. Le paysan et sa femme échangent un regard. L'homme ouvre un coffre qui se trouve dans un coin de la pièce, en retire une natte qu'il étend sur le sol, d'un geste invite Al à s'asseoir. Puis il s'empare d'un récipient et sort de la maison. La femme de son côté s'active. Dans un autre coin elle prend quelques objets qui ressemblent à d'épaisses galettes. Al constate que ce sont des bouses de vaches séchées. Elle les dispose sur un foyer rudimentaire fait d'un trou entouré de quatre pierres assemblées, y met le feu. Une âcre fumée envahit la masure. Al, du coup, se prend à tousser. L'homme revient avec une jatte de lait qu'il met à chauffer sur le feu.

La chaleur du feu commence à se faire sentir, le lait fumant le réconforte, mais il ne peut s'empêcher de trembler et de claquer des dents. Ses vêtements lui collent à la peau et le glacent. Comment s'en débarrasser ? Une seule solution. Il se lève d'un bond, court jusqu'à la moto, enlève la mallette fixée à l'arrière du siège, se rue à nouveau dans la maison. Il dégouline de pluie mais va pouvoir se changer. S'excusant d'un geste auprès de la famille qui pudiquement se détourne, il se dévêt, se frotte avec vigueur et enfile ses vêtements secs. Il en éprouve un soulagement certain, mais frissons et claquements de dents persistent. On dirait que le froid a traversé sa peau pour pénétrer à l'intérieur de lui-même, jusqu'à ses os. Il s'étend sur la natte et se recroqueville pour tenter de concentrer et de garder le peu de chaleur qui lui reste. Le paysan le couvre d'une autre natte et lui offre un second bol de lait bouillant.

S'est-il endormi, évanoui, quand a-t-il perdu connaissance ? Il ne sait. Il brûle maintenant de fièvre et se sent totalement, définitivement épuisé. Une fois, deux fois, il fait l'immense effort d'ouvrir les yeux. Il voit alors l'intérieur d'une masure de terre qu'il ne reconnaît pas, des visages anxieux qui se penchent sur lui. D'elles-mêmes ses paupières se referment, et le voici livré tout entier à ce feu rougeoyant qui le brûle et le consume.

Al ne le sait pas, mais il a attrapé cette fièvre commune aux Indes que l'on appelle en français la dingue et en anglais dingo fever. Elle a pour caractéristiques d'atteindre des températures maximales, d'abattre le moral et d'inspirer des idées noires, puis de disparaître après quelques jours aussi vite qu'elle est venue. Encore y faut-il un peu de quinine.

Pendant quatre jours Al vit dans ce petit enfer. Il brûle de fièvre et cède aux idées noires. Il se voit perdu dans un monde étranger d'où ne peut venir aucun secours. Il est malade, isolé, impuissant. La suite est logique et fatale : il va mourir. Où l'enterrera-t-on ? Dans un champ de cette immense plaine calcinée de soleil qu'une pluie torrentielle transforme soudain en bourbier ? Ou bien va-t-on l'incinérer comme il est de coutume dans ce pays ? Nul ne le saura. Nul ne s'en soucie. Il va disparaître sans laisser de trace. De lui il ne restera rien, pas même une tombe. Peu importe après tout. Peu importe.

Il ne reverra jamais Malika. C'est fini.

C'était un oiseau magnifique qui, un jour, l'avait sauvé de la mort et s'était blotti dans ses bras. Puis il était parti. Et chaque fois qu'Al croyait pouvoir le reprendre, il s'envolait, il disparaissait comme cet autre oiseau blanc qu'il a vu battre des ailes sur la courbe lointaine du fleuve, près de l'ashram, à Mathura, et qui s'est perdu dans les ténèbres de la nuit. Il ne la reverra pas avant de mourir.

Mais cela n'a plus d'importance. A l'heure qu'il est, rien n'a d'importance.

Les visages de sa vie passent derrière ses paupières souffrantes. Son père au nez cassé, sa mère aux yeux las, aux mains déformées par les ménages. Yves, son ami, en tenue de cuir, debout près de lui devant le mémorial de l'île de Man. Hélène, qui l'a quitté. Édith, la réaliste. Béatrice, son dernier amour, celle par qui la crise est venue. Les copains du rock, du jazz. Jack Andrews avec son saxophone. Et voici des personnages plus récents. Desaï, l'écrivain énigmatique, sifflote en le toisant d'un air narquois. La ravissante Begum, le sarcasme aux lèvres. Le maître de danse, qui affecte de l'ignorer et le croise, distant et méprisant. Kristin, la petite Américaine au regard triste. Pourquoi pleure-t-elle, Kristin ? Le Maître vaticinant dans sa lumière bleue. Tous le dédaignent ou le négligent, car ils sont encore du monde, alors qu'il n'en est plus. Et surgit Aziz, moqueur, sardonique : je t'avais prévenu, Al, on ne défie pas le destin ! Il triomphe, il ricane, Aziz, car Al le narguait alors qu'il avait raison.

C'est vrai, il a voulu forcer le destin. Comme toujours. Il s'est obstiné envers et contre tout. Par amour. Mais encore plus par orgueil. Et maintenant c'est fini. Il est brisé. Cassé. Contraint et forcé, il mâche son dernier pain d'amertume.

Fatigue... Ne plus penser... Ne plus penser...

Au-dessus de lui le toit enfumé de la masure, près de sa couche des jambes maigres ou ridées qui vont et viennent, des jambes de pauvres ou de vieux. Il reconnaît celles, décharnées, du paysan et de sa femme. Durcies, abîmées par le travail. Parfois on lui soulève la tête pour lui faire boire de l'eau. Tout le reste est fournaise ; épuisante, affolante chaleur.

Il y a des conciliabules à son chevet, des gens qui discutent à voix basse, mais il ne peut en saisir un seul mot.

Un jour, un médecin indien est venu. Un vieux avec des lunettes à monture de fer et une barbichette blanche. Il l'a palpé, tourné et retourné. Puis il a tiré de son sac une boite remplie de poudre et lui a administré une potion.

Depuis on lui en donne matin et soir.

La nuit venue, la masure se peuple de corps étendus qui se serrent les uns contre les autres, car Al prend la moitié de la place à lui seul.

Il pleut toujours. Sans arrêt. Sans fin.

S'il pleut toujours, pourra-t-on allumer le bûcher ? Alors, on l'enterrera.

Un matin, Al se réveille, guéri. Il le sent aussitôt. La fièvre a disparu, et la certitude de bientôt mourir. Tout au contraire, il va vivre. Il le sait. Il vit ! Terminés les idées noires et le cortège des visions macabres. Malika est là-bas, quelque part, qui l'appelle. Il va vivre pour la retrouver !

Il se dresse sur son séant, regarde autour de lui. La masure est vide. Les adultes doivent être aux champs, les enfants à l'école, si elle existe. Ses yeux s'attardent sur cette pièce où pendant quelques jours il a cru entrer en agonie. Le coffre, le foyer avec les pots de terre ou de métal, le tas de bouses de vaches. C'est tout. Son enfance a été pauvre, il a, un temps, traîné sa misère dans la zone, mais il n'aurait jamais pensé que des hommes pussent être aussi démunis. Trois nattes, cinq pots, des bouses de vaches. Ce sont ces gens là qui l'ont recueilli et soigné.

Oh ! il ne pleut plus ! La lumière du grand jour l'appelle par l'embrasure de la porte. Il se lève, ses jambes flageolent, mais il tient debout. En chancelant il avance vers cette lumière qui le hèle, sort sur le seuil.

Cette route à quelque distance, ces pousses qui pointent dans les champs, cette terre gorgée d'eau fumant sous le soleil, ce ciel, ces oiseaux qui chantent, c'est ça, la vie.

La route rectiligne dit l'espérance, les pousses vertes la fécon-dité, les oiseaux chantent leur allégresse.

Et s'il avait un enfant avec Malika ?

Un enfant ? Il en a un dont il ne s'est jamais occupé. Elle le voulait, cet enfant, Hélène. Fais moi un enfant, Al. Donne moi un enfant ! Ce fils, il le voit parfois. Il ne lui donne rien. Un autre, le second mari d'Hélène, est devenu son vrai père, le reléguant au rang de simple connaissance, de visiteur. Par la suite, chaque fois qu'il a fait l'amour avec une femme, il l'a refusé, l'enfant. Ses partenaires avaient le même souci. Un enfant ? Surtout pas ! Le pépin ! La guigne ! Il prenait son plaisir. A elles de se débrouiller. Un enfant ? Il avait d'autres soucis en tête. Sa moto. Ses compétitions. Pas de temps à perdre !

Et voilà que tout d'un coup, alors qu'il a cru mourir, devant cette route, ces champs, ce soleil, devant la vie, c'est lui qui voudrait un enfant ! Un enfant de Malika et de lui, l'enfant de leur amour et de leur entente, le lien irrécusable qui unit.

Reprendre Malika et avec elle créer un enfant.

Appuyé au chambranle de la porte, Al s'ébroue, passe sa main sur sa tempe.

Soudain il se raidit. Où est la Stinger, la moto d'Aziz ? Il s'en souvient à présent, il l'avait laissée là, devant la porte, sous la pluie. Où est-elle ? L'a-t-on volée ?

Il la cherche vainement des yeux, se décide à faire le tour de la masure, aperçoit un appentis fait de tôles rouillées dont un chiffon ferme l'entrée. Il l'écarte brusquement. Elle est là. Sèche. Propre. Étincelante. On a pris soin de la nettoyer, de la frotter. Al soupire de soulagement. Puis il a honte. Ces gens l'on accueilli, soigné comme un des leurs, et son premier réflexe est de les soupçonner de vol. Minable. Il est minable ! Il se fustige d'un petit rire de dérision, puis la regarde. Qu'elle est belle ! Il la caresse du bout des doigts comme si elle était de chair, vérifie le niveau d'essence, met les gaz. Elle répond aussitôt, nerveuse, avec une sorte d'impatience. Ma belle ! Oui, ensemble ils vont reprendre la route, filer sur la Grand Trunk Road jusqu'à Calcutta qui les attend. La poursuite continue. L'incompréhensible poursuite de Malika !

Sent-il derrière lui une présence ? Il se retourne. Le paysan et sa femme sont là, portant chacun une houe sur l'épaule. La vieille les suit, qui tire une vache par une corde. Tous les trois, ils regardent Al et sourient. Al leur rend leur sourire. D'un geste il montre la moto, exprime sa jubilation. Satisfait, le paysan approuve de la tête. D'un autre geste, Al se désigne lui-même, signifie qu'il est guéri. Le sourire de ses hôtes s'accentue. Al contemple l'homme, son torse maigre dont les côtes saillent, ses jambes, ses bras secs et noueux, le pagne élimé qui lui ceint les reins. Il a un élan vers lui, avance, le serre dans ses bras. Puis il le saisit par l'épaule et l'entraîne dans la masure. Sa mallette est là, sur le sol, près de la natte. Il y prend l'argent qui lui reste — mille roupies, pas une ne manque — et lui en donne cinq cents. L'homme a un haut le corps. Ses lèvres tremblent, mais ses yeux brillent. Il n'a peut-être jamais tenu pareille somme dans ses mains.

C'est le départ. Al attache la mallette sur la Stinger, démarre. Il atteint la route, s'arrête un instant, les regarde, le paysan et sa femme avec leur houe sur l'épaule, la vieille, la vache. Une émotion lui gonfle le cœur. Merci, dit-il à voix basse. Et il file sans plus se retourner.

Il y a des hommes bons, le ciel est bleu, la magnifique machine qu'il serre entre ses genoux répond à ses injonctions avec une impétuosité de pur-sang. Il va rejoindre Malika. Il est heureux.

Il en est à la moitié du chemin. Normalement il atteindra Calcutta dans la soirée.

En traversant une bourgade, il doit mettre pied à terre tant la foule est serrée. Elle s'agglutine autour d'un orchestre qui joue une aubade pour un cortège de mariés. Les musiciens sont comiques. Ils portent des uniformes rouges et or, trop grands pour eux, qui se voudraient superbes et ne sont que miteux. Gonflant les joues, ils soufflent de toutes leurs forces dans des flûtes et des trompettes, et font un bruit infernal.

Al s'amuse. Lui aussi, il a commencé la musique par le vacarme !

Après sa rupture avec le milieu et l'abandon de la moto, il a sombré une seconde fois. Sans passion désormais, sans ambition, vidé de sa substance, il a bu et trompé son désœuvrement par le sexe. C'est dans cette période noire, à Rouen où il était revenu, qu'un soir il a écouté chez des copains un guitariste de blues. Il a été fasciné. C'était à la fois le retour aux sources et la révélation. Son amour pour la musique lui est revenu tout d'un coup, l'a envahi, subjugué. Quand ses copains ont levé la séance pour aller dans une boîte quelconque, il a refusé de les accompagner et a marché longtemps dans la nuit. Il avait besoin d'être seul pour savourer sa découverte. Ah, il ne l'oubliera jamais cette nuit là ! Il errait dans les rues vides, les pavés gras luisaient au clair de lune, un chat, un ivrogne croisaient parfois son chemin. La musique chantait dans son cœur, dans sa tête, le monde entier était musique, et il se donnait à lui. Il vibrait, il exultait, car il avait trouvé ! Il allait reprendre sa guitare abandonnée depuis des années, en fait depuis l'adolescence, et se vouer, se consacrer à elle. Il allait devenir un musicien. Un grand ! Il était rentré chez lui, avait déniché sa guitare au fond d'une armoire et plaqué les premiers accords. Ses doigts étaient gourds et malhabiles, il devait chercher ses notes, c'était terrible d'ânonner, de bredouiller ainsi, mais une frénésie le tenait, celle de triompher de l'obstacle, de rattraper le temps perdu, et il avait joué jusqu'à l'aube. Le choix était fait, la voie évidente, large et toute tracée. Il ne lui restait plus qu'à foncer, comme un fou, à son habitude. Il avait quitté sa bande de déracinés, d'oisifs, de paumés, et s'était livré tout entier à sa nouvelle passion.

Ç'avait été dur, souvent désespérant, mais, les dents serrées, têtu, obstiné, il s'était accroché. Il travaillait sa guitare pendant des heures et des heures, que ce fût le jour ou la nuit, et après quelques mois il avait fait d'étonnants progrès.

Evidemment, c'est le rock qui d'abord l'avait happé. N'était-il pas déjà en lui ? Ne faisait-il pas partie de sa vie, de son univers ? Le rock, c'est la violence, la provocation, l'outrance, les chanteurs délirants, le cuir, le sexe, les foules surexcitées, déchaînées. La fureur de vivre. On se sort les tripes, on se défonce. Le rock, c'est aussi la musique de la moto. Il y a presque toujours un groupe de rock pour accompagner les grandes courses et Johnny Halliday n'avait-il pas fait le tour d'honneur de la piste, au Mans, le jour justement où Al avait gagné l'épreuve ? Ce qui le séduisait le plus, c'était le blues-rock de Jimi Hendrix et le rock revival de Chuck Berry. Il écoutait ses disques préférés, travaillait des morceaux, retrouvait des copains — d'autres, les fanatiques du rock — et jouait avec eux, dans des hangars, des garages, toute la nuit. Il aimait jouer "dirty", avec âpreté, dureté, d'une façon arrachée. Il se battait avec les rythmes, les sons, comme naguère il attaquait les circuits, le bitume, les courbes dangereuses. Ses nerfs étaient tendus à craquer, sa tête, tout son corps, vibraient à l'unisson de la musique ; il se saoulait, se droguait de musique. Seul, il reprenait ses exercices, obstinément.

Il fallait vivre pourtant, payer sa nourriture, les cigarettes, l'alcool. Alors il avait cherché un travail à mi-temps et l'avait trouvé dans une clinique de Rouen. Garçon de salle. Il arrivait à huit heures du matin, on lui donnait un bol de café, et il revêtait sa blouse grise, enfilait ses gants de caoutchouc. Puis, le seau avec la serpillière dans une main, le balai dans l'autre, il nettoyait les chambres. Ce travail, il en avait horreur et honte, et pour rien au monde il ne l'eût avoué aux copains. C'était terrible, après quatre heures de sommeil, encore électrisé, survolté de musique, d'enfiler la blouse et d'entrer dans ces chambres nauséabondes où lui sautaient à la figure ces odeurs de malades et les miasmes corrompus de la nuit. Vider les pots et les bassins, passer la serpillière, sous la surveillance tatillonne et soupçonneuse de Madame Charles, une maritorne qui ne l'aimait pas... Ah, qu'il était loin, alors, l'ange gainé de cuir, le Don Juan des pistes, le baladin de la guitare ! Mais la musique l'exigeait. Et pour la musique, pendant un an, il l'avait fait.

Sa maîtrise s'affirmant, il était entré dans un groupe de rock et avait commencé à jouer dans des boîtes de nuit. Il gagnait désormais un peu d'argent. Aussi, avec quel mépris, comme on vomit, avait-il rejeté la serpillière et la blouse ! Sans daigner avertir, simplement en ne se présentant plus à son travail. Quelle colère elle avait dû piquer, Madame Charles ! Tout nouveau, tout beau, cela avait marché quelque temps. C'était flatteur d'appartenir à un groupe, de jouer dans un décor étincelant, d'avoir un public, de faire monter l'ambiance, de la tenir au paroxysme, d'être applaudi. Et puis la déception était venue. Car, en réalité, c'était évident, on ne l'écoutait pas. Si le blues et le rock and roll sont tous deux construits sur trois accords et douze mesures, si le rock s'apparente au “rythm and blues”, celui-ci n'en reste pas moins, avant tout, une musique de danse ; une musique faite pour être dansée plus qu'écoutée. Il les observait, ces excités qui se trémoussaient devant lui. Il les voyait s'amuser, se défouler, gigoter, draguer et boire. Mais eux, tout à leur plaisir, ils ne l'écoutaient pas, ne l'entendaient pas. Ils voulaient jouir, c'est tout. Et il se disait : à quoi bon s'appliquer à bien jouer de la guitare ? Ils s'en moquent. N'importe quel guitariste médiocre ferait l'affaire. A quoi cela rime-t-il ? Et ça l'écœurait.

Il doutait, le découragement le gagnait, à nouveau il allait perdre pied, lorsqu'on lui avait proposé de remplacer un guitariste du groupe des Strangers, qui jouait du funky jazz. Ç'avait été une aube soudaine, inattendue, inespérée. Il découvrait le jazz, une vraie musique que l'on écoute, qui vous emmène ailleurs, loin, très loin, qui vous fait rêver. C'était un bonheur, un ravissement, c'était aussi une épreuve, car il s'apercevait alors, ses perspectives élargies, de ses faiblesses, de ses lacunes. Regarde la situation en face, Al. Ne biaise pas. On t'accepte aux Strangers parce qu'on a besoin de toi. On te tolère. Mais tu n'es pas à la hauteur. Tu n'es qu'un pis aller. Tu n'as pas la technique nécessaire. Ça ne peut pas durer. Il faut te perfectionner. Travailler. Travailler toujours.

Mais s'exercer seul dans sa chambre non plus ne suffisait pas. Il avait accompli ce qu'il pouvait faire par lui-même, atteint ses limites d'autodidacte. Pour progresser encore il lui fallait un guide, un enseignement. Où les trouver ? L'idéal, c'eût été de partir pour les États-Unis, d'étudier le jazz à la Berkeley School, à Boston, où ses idoles, Herbie Hancock notamment, formaient les jeunes virtuoses. Il en rêvait. Mais c'était impossible. Le voyage, la vie là-bas, trop cher ! A défaut, des amis musiciens lui conseillaient d'aller à Paris pour y suivre les cours du CIM, dans le dix huitième arrondissement, près de Barbès. Il hésitait. Ils insistaient. Tu dois le faire ! Les maîtres sont excellents. Ne t'inquiètes pas. Au début, nous t'hébergerons. Après, tu te débrouilleras. On verra !

Il avait sauté le pas.

... Les villages succèdent aux villages, il a traversé des bourgades, des villes, voici cinq heures qu'il roule et la fatigue soudain le prend. Après quatre journées de fièvre, sans doute a-t-il présumé de ses forces. Il comprend qu'il n'atteindra pas Calcutta, cela le contrarie au plus haut point car il a déjà perdu beaucoup de temps, il doit s'arrêter et s'interroge sur l'endroit où il pourrait passer la nuit. Depuis une demi-heure le paysage a changé. Quittant la plaine, la Grand Trunk Road s'enfonce maintenant dans une région de collines rugueuses semées d'éboulis de rocs et couvertes d'une forêt moyenne d'où émergent des massifs de bambous. L'habitat est clairsemé, il y a peu de circulation sur la route et cela accentue l'aspect sauvage et désolé des lieux. Un panneau lui signale une bourgade, Parasnath, à quelque distance, mais il hésite à s'y rendre pour y chercher une auberge, car il redoute la foule et le bruit. Il aperçoit un dak bungalow — un gîte d'étape pour fonctionnaires en tournée — niché au pied d'une colline, à proximité de la Grand Trunk Road. Aziz lui a dit que ces gîtes d'étape accueillent parfois des hôtes qui n'ont pas de fonctions officielles. L'endroit est calme, quasi désert. Pourquoi ne pas essayer ?

Al s'engage dans le chemin qui mène au bungalow, une construction blanche à un étage dont le devant est aménagé en véranda. Les stores en lamelles de bambous qui défendent celle-ci contre l'ardeur du soleil ont été relevés pour accueillir la fraîcheur relative du soir, la porte est ouverte. Avec un soupir de soulagement Al s'arrête dans la cour et, se demandant comment il va s'expliquer avec le gardien, gravit le perron.

Venant de la gauche, une voix s'élève :

– Un noble étranger ! Quelle bonne surprise ! Que cherchez-vous, Monsieur ?

Al se tourne vers le propriétaire de cette voix qui l'interpelle ainsi en anglais, mais il n'aperçoit qu'une tête chauve, animée de deux yeux noirs, entre une paire de pieds nus.

– Je... je cherche une chambre pour passer la nuit, répond-t-il.

L'homme se lève du fauteuil de repos dont les bras dépliés lui relevaient les jambes et s'avance :

– Je m'appelle S.T. Mukherjee, je suis un fonctionnaire des Finances et, comme mon nom l'indique, Bengali. A qui ai-je l'honneur ?

– Mon nom est Al. Al simplement.

– Al simplement, répète le dit S.T. Mukherjee d'un air pensif. Pourquoi pas, après tout ? Les mots courts sont les plus forts.

Il est petit, vêtu d'un pantalon et d'une chemise flottante d'un blanc douteux. Son visage a la forme des deux tables du violon, c'est-à-dire que le crâne et les mâchoires sont larges et les joues creuses. Le regard des yeux noirs est perçant.

– Le responsable de ce dak bungalow est absent. Je l'ai envoyé au marché. Il reviendra dans un moment. Je ne saurais préjuger sa décision, mais la seconde chambre est libre et j'utiliserai ma modeste influence pour qu'elle vous soit attribuée.

Mukherjee cligne de l'œil :

– L'espoir d'un généreux pourboire faciliterait sans doute le dénouement.

– Je vous remercie de votre intervention et de vos conseils, dit Al qui a compris qu'une courtoisie quelque peu ampoulée s'impose. Le fait est que je suis fatigué.

– Quelle est votre nationalité, Monsieur ? A votre accent je supposerais que vous n'êtes pas Anglais.

– Je suis Français.

– Ah, Paris, Jeanne d'Arc, Napoléon, les Trois Mousquetaires, les Misérables, la Bastille, Romain Rolland et "di" Gaulle ! s'écrie Mukherjee, débitant d'un trait toute sa science. La France, quel grand pays ! Vous êtes fatigué, me dites-vous ? Asseyez-vous, cet autre fauteuil vous tend les bras. Que diriez-vous d'une bière ?

– Avec plaisir ! s'exclame Al, les yeux brillants.

– Sans alcool, bien entendu.

– Bien entendu, renchérit Al sur un ton nettement mineur.

– Non ! Non ! proteste Mukherjee qui revient de la cuisine portant une bouteille et deux verres. Pas ainsi ! Les pieds en l'air, voyez, comme cela ! L'homme est ainsi fait que chez lui tout est affaire de circulation. Circulation du sang, des humeurs, des idées. Levez les pieds, votre sang coulera mieux, vos idées seront plus claires.

– Vous avez raison, obtempère Al qui rectifie la position car il veut obtenir la chambre.

– Que dites-vous de cette bière ?

– Ma foi, ma foi, elle est fort bonne, s'empresse d'affirmer Al en dissimulant une grimace.

– Pas d'alcool, pas de tabac, pas de sel, cela gêne la circulation. Au fait, cher Monsieur, votre moto est splendide. Un joyau ! Combien vous a-t-elle coûté ? Une somme faramineuse, sans doute ?

– Je ne puis vous répondre. Elle n'est pas à moi.

– Et vous venez de France sur ce superbe véhicule ?

– Non. De Delhi. Un ami indien me la prête.

– Oh, oh, oh, module Mukherjee qui paraît fort intéressé. Votre ami doit être riche. Serait-ce quelqu'un de connu ?

– Il s'appelle Aziz. C'est un musicien.

– Notre Aziz ? Notre célèbre joueur de tabla ? Vous êtes son ami ? Je suis, Monsieur, heureux de vous connaître. Ah, voilà Nathu, ajoute-t-il en désignant l'homme qui range sa bicyclette devant le bungalow. Nathu, donne l'autre chambre à ce grand Sahib qui me fera l'honneur de partager mon repas ! Ne protestez pas, je vous prie. J'avais de la bière et rien d'autre. J'ai donc envoyé Nathu faire des emplettes au bazar. Notre repas sera frugal : une purée de lentilles, des pommes de terre et du riz. Cela vous suffit-il ? Sans doute voulez-vous voir votre chambre ? Nathu va vous la montrer. Je vous attends ici. Nous boirons un autre verre.

Étourdi par le débit verbal de sa nouvelle connaissance, Al suit Nathu qui, fort respectueux, le conduit à son logis. C'est une pièce vide à l'exception d'un lit de sangles. Ce lit austère, Al le dévore des yeux. Il n'en peut plus, il voudrait s'y affaler et s'endormir tout de suite. Mais il doit accepter l'invitation de Mukherjee. Soucieux de s'assurer que tout va bien, celui-ci surgit d'ailleurs sur ses pas :

– Vous n'avez pas de sac de couchage, j'imagine ? Cela ne fait rien. Je suis un homme prévoyant. Je vous prêterai une couverture et un drap. Dans cette région, en cette saison, les nuits peuvent être fraîches. Venez, cher Monsieur. Notre bière nous attend !

Cependant que Nathu s'affaire dans la cuisine, Mukherjee s'épanche. C'est un torrent :

– Vous êtes jeune, Monsieur. Trente cinq, trente six ans, je pense. J'ai soixante ans et l'avantage de l'expérience. La vie est courte, Monsieur. Cela, tous les hommes le savent. Mais elle est également sinistre. Cette vérité première, c'est l'honneur de l'Inde de l'avoir, avant et mieux que quiconque, élucidée et établie, et d'en avoir tiré les conséquences. Sinistre ! Prenez mon cas. Ma patrie, le Bengale, a été coupée en deux lors du partage de l'Inde. Mes parents furent tués au cours des troubles qui suivirent. Élevé par l'un de mes oncles, j'ai travaillé, passé des concours. Je me suis marié. Notre enfant unique, notre petite fille, est morte de maladie. Ma femme n'a pu lui survivre. Atteinte d'une mystérieuse langueur, elle est décédée trois ans plus tard.

– Sinistre ! approuve Al qui somnole. Et il se dit : je tombe de sommeil. Pourvu que Nathu se dépêche. Je ne tiendrai jamais le coup !

– Que me restait-il à faire, sinon préparer au mieux mon incarnation ultérieure — inévitable, c'est là le drame ! — en accomplissant mon devoir d'état ? Certes, je pouvais viser à m'affranchir du cycle des renaissances par l'intégration, dès ce bas monde, à l'absolu. Mais je n'en suis pas capable ; c'est le privilège des grandes âmes. Il ne faut pas se bercer d'illusions. Je suis donc un bon collecteur d'impôts.

– Pardon ?

– Je vais de village en village pour m'assurer que les impôts y sont équitablement levés. A cette tâche délicate j'apporte l'exactitude, mais aussi l'équité et l'humanité requises.

– C'est bien, c'est très bien, opine Al. Et il pense : que me raconte-t-il ? Je n'y comprends rien. Mais, pour un peu, il me flanquerait le bourdon.

Nathu annonce que le repas est prêt.

En dégustant son dîner, qu'il mange, c'est la tradition, avec les doigts de la main droite (Al a été gratifié d'une fourchette), Mukherjee poursuit son discours sur sa vie présente et la préparation de sa vie future, à laquelle il paraît apporter tous ses soins.

– Ainsi pourrai-je, après ma mort, et en proportion de mes mérites, accéder à un niveau supérieur. De cette façon me rapprocherai-je, au fil de mes incarnations successives, de la libération suprême, où il n'est que félicité. Mais vous, cher Monsieur, que faites-vous dans la vie ?

– Je suis musicien.

– Ah, l'admirable métier ! Dès ce bas monde — Mukherjee prononce ces trois mots avec une moue méprisante, ce qui ne l'empêche pas d'avaler goulûment une grande bouchée de riz — transmettre aux hommes l'écho — serait-il affaibli — de l'harmonie universelle ! Je suppose que c'est ainsi que vous avez connu notre grand Aziz !

– En effet.

– Et, si je ne suis pas indiscret, que faites-vous en Inde ?

Al estime que la prudence s'impose.

– Je suis venu voir des amis.

– Dont notre grand Aziz ?

– Justement.

– Mais il habite Delhi. Or, si je ne m'abuse, vous vous dirigiez dans le sens opposé. Je vous ai vu, de loin, sur la route. N'allez-vous pas à Calcutta ?

– J'y vais, reconnaît Al.

– C'est une grande et belle ville. Notre capitale, à nous Bengalis. Si vous le souhaitez, je vous donnerai des adresses. Vous avez donc des amis à Calcutta ?

Malgré son envie de dormir, Al admire la méthode avec laquelle Mukherjee mène son enquête. Il n'en devient que plus circonspect.

– Amis, c'est beaucoup dire. Je voudrais y rencontrer quelqu'un.

Mukherjee relève la tête.

– Vraiment ? Oh, dites moi qui ! Je puis vous aider. J'y connais tout le monde. Enfin, j'entends, toutes les personnalités de renom.

Faut-il parler ? Al hésite. Après tout, pourquoi pas ?

– Je vais voir Sir Justice Ganguli. Cela vous dit-il quelque chose ?

– Si cela me dit ! explose Mukherjee en se renversant sur le dossier de sa chaise. Mais qui ne connaît Sir Justice Ganguli ! Il fut le plus illustre de nos juges. Quel dommage qu'il ait pris sa retraite ! Il est le père de Malika, la célèbre danseuse. Vous connaissez ?

– De nom, murmure Al.

– La beauté faite femme. Notre meilleure danseuse de Kathak. Les dieux eux-mêmes nous l'envient. Sir Justice Ganguli est illustre dans ce pays. Tout le monde a entendu parler de lui. L'avez-vous déjà rencontré ?

– Non. Mais j'ai une lettre d'introduction.

– Sage précaution, cher Monsieur ! Sir Justice Ganguli sort peu et reçoit peu. Comme il sied à son âge, il mène une vie méditative et retirée pour préparer sa vie future. Un grand bonheur vous attend. Vous aurez devant vous un homme éminent à tous égards. Son élévation d'esprit se lit sur son visage. Il a un don de psychologie remarquable. C'est un puits de science. En outre il est juste et bon. Nous l'appelons souvent Sir Justice Goodness. Au cours de sa carrière, où les honneurs ont plu sur lui, il a toujours été justice et bonté. La justice qu'il rendait n'a jamais été sèche et inhumaine. L'équilibre s'établissait, qui rend le juge parfait. Il n'y avait pas un délinquant qui ne souhaitât être jugé par lui.

– C'est impressionnant, vraiment ! s'étonne Al qui ne perd plus un mot de ce que lui dit Mukherjee.

– Il est mon exemple, voyez-vous. Quand je m'efforce d'agir en équité dans ma modeste profession de collecteur d'impôts, où l'arbitraire est tout de suite odieux, je pense à lui. Sans qu'il le sache, car il ne m'a jamais vu, Sir Justice Goodness est devenu mon guru, mon maître !

Al reste bouche bée. Il est touché de ce qu'il apprend sur le père de Malika. Saisi de respect. En même temps une crainte l'étreint. Sera-t-il reçu ? Va-t-on lui refermer la porte au nez, surtout si la Begum a pris son téléphone ? A supposer qu'il passe le seuil de la maison du grand homme, ne va-t-il pas paraître négligeable, insignifiant ?

– Un grand homme... poursuit Mukherjee comme s'il devinait ses pensées. Et en même temps — un sourire attendri paraît sur ses lèvres — non exempt de ces petites faiblesses, de ces gentilles manies qui humanisent la perfection. Figurez-vous qu'il adore — je vous le donne en mille — il adore les... papillons !

– Les papillons ?

– Oui ! Oh, ne vous méprenez pas ! Il ne les épingle pas dans une boîte. Son respect de la vie s'y oppose. Il les photographie, les dessine. Il a ainsi, dans un album, la collection imagée de tous les papillons de l'Inde. Un journaliste a écrit un reportage sur cet album, récemment. Mon rêve : lui présenter un papillon qu'il ne connaisse pas... Mais lequel ? J'en suis sûr, il les a tous !

– Les papillons... répète Al, songeur.

Mukherjee lui paraît maintenant très sympathique. Il est heureux de l'avoir rencontré.

Le petit homme s'est levé :

La nuit tombe, mon cher Monsieur, vous devez être fourbu. Je ne saurais abuser plus longtemps de votre patience. Je pars à l'aube. Une voiture de l'Administration vient me prendre. Quel honneur pour moi d'avoir fait votre connaissance ! Quant au drap et à la couverture, ayez la bonté de les laisser à Nathu. Je reviendrai bientôt ici.

– C'est moi... proteste Al.

– Non. N'inversons point les rôles. Je suis votre obligé. Je vous salue et vous souhaite bon voyage. Quand vous verrez Sir Justice Goodness, ayez une pensée secrète pour moi.

Mukherjee s'incline et disparaît. Al reste seul dans la véranda.

Les ténèbres ont enveloppé la colline. Nathu, qui a déjà desservi, est allé lui aussi se coucher. Autour de la lampe voltigent des phalènes. Tout est silence.

La bienveillance de Sir Justice Ganguli... Les papillons...

Al est satisfait. Ce fut une bonne journée.

Il a fait sa toilette en sifflotant, bu un verre de lait, donné un pourboire à Nathu qui l'a remercié d'une courbette et d'un sourire, et maintenant il file sur Calcutta. Le soleil n'est pas encore brûlant. Les forêts sont fraîches de la nuit.

C'est reposant de rouler sans à-coups, sans heurts, de glisser dans leur ombre, en respirant leur odeur de feuilles humides et de terre mouillée. Le répit avant la chaleur.

Il compte sur Calcutta pour avancer son affaire, retrouver la piste perdue de Malika. Où est-elle ? Qu'a-t-elle fait pendant ces derniers jours ? Son père le sait sans doute. Et si elle était chez lui ! La retrouver soudain et simplement lui dire : me voici. Je viens de Paris pour te retrouver. Que se passe-t-il ? Pourquoi m'as-tu quitté ?

Que répondra-t-elle ? Que peut-elle répondre ? Là est le mystère. Car Malika n'est pas femme à dire je t'aime à un homme pour l'abandonner subitement. Elle est vraie. Solide. Que s'est-il passé ? Sa réponse en tout cas sera franche et certaine. Elle est incapable de biaiser, de dissimuler.

Al pense : je ne peux vivre sans elle.

Ne rêvons pas. Ne comptons pas sur sa présence. Ce serait trop ! L'important, c'est de voir son père. De le faire parler. Et c'est difficile...

La crainte le reprend. Il se rappelle les propos de Mukherjee. Ce vieux juge est intimidant. Il vit une existence recluse, il est austère. Comment forcer sa porte ? Comment l'amadouer ? Al compte sur un argument majeur : je suis un ami de votre fille. Et sur une manœuvre secondaire : les papillons. Cela suffira-t-il ? C'est un psychologue remarquable, d'après Mukherjee. Que devinera-t-il, le juge ? Il faudra être prudent, sans doute jouer au plus fin.

Suis-je à la hauteur ?

Les collines s'abaissent et s'espacent, la forêt s'amenuise. La Grand Trunk Road a rejoint la plaine, mais celle-ci est humide, spongieuse, à l'opposé des campagnes sèches qu'Al a traversées autour de Delhi. Des bouquets de palmiers, de bambous la parsèment. Les villages s'entourent de bananiers aux lourdes feuilles, de mares que couvrent des jacinthes d'eau. Les buffles s'y prélassent, immobiles, immergés jusqu'aux naseaux. Gorgées de pluies récentes, les rizières étendent à l'infini leur damier monotone qui miroite sous le soleil. De gros nuages, porteurs de mousson, montent à l'horizon. Des oiseaux fous s'élèvent et manœuvrent en bandes criardes. Ici et là, un temple dresse ses murs striés rouge et blanc.

Sans le savoir, Al est entré au Bengale. Il s'arrête dans un village pour déjeuner de ce qu'il peut y trouver, des galettes de blé et du thé, repart, roule pendant deux heures. Calcutta se rapproche. Des voies ferrées, des lignes à haute tension sabrent le paysage, la circulation s'alourdit. La chaleur est moite, gluante ; sa chemise lui colle à la peau ; il rêve d'une douche glacée. De chaque côté de la route apparaissent des bidonvilles, moutonnements de huttes misérables faites de tôles rouillées, de bouts de planches, de feuilles de palmiers, de tissus de jute pourris. Des maisons leur succèdent, exiguës et pauvres. La structure géante d'un pont de fer surgit devant lui. Il suit la cohue, traverse un fleuve boueux, pénètre dans le centre de la ville. La densité humaine est oppressante, suffocante. Les rues s'élargissent. Des banques, des centres administratifs, des hôtels élèvent leurs façades pompeuses. Ils s'ordonnent autour d'un espace miraculeusement vide, une immense étendue herbeuse dont on ne peut apercevoir la fin.

Son premier soin est d'aller à la Poste centrale où, normalement, Aziz lui a expédié de l'argent. L'attente au guichet est interminable. Il y a devant lui des paysans, des employés, des petits commerçants, des femmes qui se voilent le visage, des étudiants aux cols de chemise élimés, des vieux calamiteux. Beaucoup d'hommes sont vêtus d'une curieuse tunique blanche dont les pans se retroussent au-dessous des genoux. Ils mâchent du bétel et en crachent le jus rouge. Les ventilateurs vrombrissent, faisant bruire les piles d'imprimés derrière les grilles des comptoirs. C'est enfin son tour. Soulagement, l'argent est là ! Le brave, le fidèle Aziz lui envoie cinq mille roupies. Il y a aussi une lettre. Al la décachette :

Cher Al,

Voici cinq mille roupies. Je ne t'en envoie pas davantage, car j'espère que tu ne resteras pas longtemps à Calcutta. Si cela n'est pas suffisant, n'hésite pas toutefois à me le dire.

N'interprète pas ma bonne volonté comme une marque d'approbation de tes actes. Que tu n'aies pas rencontré de difficultés depuis ton départ de Delhi (Aziz ignore qu'il a été malade) ne doit pas te rassurer. Le destin, qui a horreur d'être contredit et que tu défies avec outrecuidance, est patient. Il sait retenir ses coups pour mieux frapper ensuite. Loin de moi de le souhaiter, je suis ton ami, mais je ne peux m'empêcher de craindre que tu ne t'attires une dure leçon par ton extravagance. J'ai beaucoup réfléchi à ton cas. Les signes sont manifestes. Il faut s'aveugler soi-même pour ne pas les voir. Tu t'acharnes à réaliser l'impossible. Encore une fois je te demande de ne pas t'obstiner. Aziz.

Al est touché par l'affection qui se dégage de cette lettre. Mais il se met à rire. Il est comique, Aziz, avec ses intuitions et ses signes ! Ce qu'Aziz ne peut comprendre, c'est que lui, Al, n'a pas le choix. C'est Malika ou rien.

Malika ou le vide. Alors ?

Trouver un hôtel. Et l'adresse de Sir Justice Ganguli ! Un bon hôtel, car après cette fièvre, cette fatigue, ces heures et ces heures de conduite dans la chaleur, il a besoin de repos. De détente avant d'affronter le juge. D'un peu de luxe pour se remettre d'aplomb !

Il parcourt, en bordure de la grande prairie, l'artère centrale de la ville qui porte le nom curieux de Chowringhee, aperçoit l'enseigne du Grand Hôtel, s'arrête. Il enchaîne sa moto, prend sa mallette, traverse un bataillon de miséreux qui tendent la main, entre dans le hall. Sitôt la porte passée, c'est un autre monde. Sa peau se contracte délicieusement au contact de l'air climatisé, il foule un tapis épais, tout est suavité, douceur, un serviteur s'empare de sa mallette et le mène à la réception. Al consulte les prix des chambres. C'est cher. Mais il doit s'offrir cette petite folie. Il le sent. Réellement, c'est un besoin.

Dans sa chambre il se déchausse, s'effondre dans un fauteuil, pose ses pieds sur la table devant lui. Un moment il reste ainsi, sans bouger, à jouir du confort qui l'entoure. Le lit est vaste, tentant, l'air est frais, les lourds rideaux qui encadrent les fenêtres donnent un sentiment d'intimité, il y a la télévision. Al se lève, ouvre la porte de la salle de bains. Il ne résiste pas une seconde à l'appel du carrelage vert, de la lumière tamisée, du nickel de l'appareil de douche. En un tournemain il se déshabille, jette ses vêtements dans un coin, ouvre le robinet d'eau froide. Délice ! Il lui semble que son corps absorbe l'eau comme une plante assoiffée, qu'il reprend force et vie. Il se savonne, se rince. La poussière, la sueur, la crasse de la route ont disparu, il se sent net, allégé, rajeuni. Il met sa tête sous le jet et reste ainsi longtemps, ruisselant. Immobile. Comme le buffle dans la mare, se dit-il.

Délice d'oublier la chaleur, la foule, la misère. De s'éponger avec une serviette épaisse et que l'on n'en finit pas de déplier. De traverser tout nu la chambre et de prendre le téléphone.

– Le service ? Ici chambre 312. Montez moi une bouteille de whisky, s'il vous plaît. Du Long John ? Du Ballantine's ? Le Ballantine's ira. Avez-vous des cigarettes ? Je préfère les Camel. Une cartouche. Bien. Ne tardez pas.

Il s'est habillé. Le plateau est maintenant sur la table avec le whisky, le soda, la glace, des amandes et des raisins secs, et les Camel. Il remplit de whisky le tiers du verre, ajoute le soda qui pétille, de la glace. Il secoue le verre pour entendre le cliquetis des glaçons, boit. Le mélange étreint sa langue, pique et rafraîchit son palais, lui réchauffe l'intérieur du corps. Volupté.... Dans un sursaut de reconnaissance il s'écrie à voix haute : A la santé d'Aziz ! Mon ami Aziz ! Il allume une cigarette, se prend à rêver...

Malika va revenir avec lui en France. Ils vivront à Paris. Il formera un autre groupe de jazz, elle poursuivra sa carrière, ira danser partout, en Europe, aux États-Unis, en Inde bien sûr. Ils auront un enfant. Et puis un autre. Mais... Est-ce réaliste ? Peut-elle se couper de l'Inde, de son milieu professionnel ? Eh bien, c'est lui qui viendra s'installer à Delhi. Il y a de tout dans ce pays, même un public pour le jazz. Et les touristes affluent. C'est ici qu'il formera son groupe, un groupe de musique fusion, comme le "Surya" de Jack Andrews. Cette fois, il gagnera. Malika et Aziz le conseilleront, l'aideront. Naturellement tout cela doit être étudié, pesé. Ils y réfléchiront, Malika et lui. Avec Aziz. Tout est possible. Il faut de l'imagination, de l'audace.

Il a bu quatre verres de whisky. La bouteille est à moitié vide. Ses yeux se ferment. Sa main droite, qui pend du fauteuil, se détend, laisse tomber la cigarette. Il a le réflexe de la ramasser pour la jeter dans le cendrier et s'endort.

Son regard parcourt la chambre. Où est-il ? Cette pièce, cette télévision, ce couvre-lit couleur saumon... Il se souvient. Regarde sa montre. Neuf heures. Neuf heures du soir évidemment. Il a presque froid, se lève, fait quelques assouplissements pour se réchauffer. Le miroir de la salle de bains lui renvoie l'image de ses traits tirés, de ses yeux cernés. Ça passera ! Un coup de peigne. Allons dîner.

En bas il y a foule dans le hall d'entrée. A chaque instant des couples poussent la porte tournante. Les femmes ont mis leurs beaux saris ; les hommes portent veste et cravate. Il remarque un Sikh colossal, au visage enfantin, tiré à quatre épingles, dont le turban est rose vif.

Il a le choix entre la salle à manger et le Prince's, le restaurant cabaret. Il opte pour le Prince's.

La salle est déjà presque pleine. Le maître d'hôtel l'installe à une table sur le côté, qui est surélevé. On gravit trois marches pour l'atteindre. C'est bien, ainsi pourra-t-il mieux voir l'assistance. C'est la première fois qu'il va dans une boîte de nuit en Inde. Ça l'intéresse et ça l'amuse. Il étudie la carte. Ce soir, au diable la cuisine indienne ! Un cocktail de crevettes, un pavé au poivre, du fromage, un dessert. Et une bouteille de bordeaux ! Que son ami le paysan et Mukherjee lui pardonnent. Cette fièvre l'a secoué, il n'est pas très solide et a besoin de se remonter.

L'orchestre s'est mis à jouer. Des couples gagnent la piste de danse. Ce sont des airs sages, des airs d'autrefois. Pas de rock là-dedans ! Al observe les couples. Il les envie.

Il aimerait danser. Être avec Malika, dîner, danser avec elle...

Édith serait déjà sur la piste. Élégante, un brin hautaine, mais, mine de rien, avide de prendre du plaisir, de s'amuser. Et Béatrice... Enjôleuse, subtilement provocante, à l'affût des regards qui rendent hommage à sa beauté.

Dix heures et demie. Le spectacle commence. Ce sont d'abord des marionnettes tchèques, drôles ma foi. Suit un prestidigitateur indien qui extrait un singe d'un chapeau melon. Et voici une chanteuse. Tiens, elle est française. Jolie. Bon chic bon genre. Bien balancée de surcroît. Elle chante des vieux tubes. La vie en rose. Les escaliers de Montmartre. Un gamin de Paris. J'aimerais tant voir Syracuse. Ça fait plaisir quand même. Le public ne comprend pas les paroles, mais semble ravi.

– Garçon, un cognac !

Deux, trois cognacs. Al lutte contre le sommeil. Ses paupières se ferment. Cette gentille soirée lui a fait du bien. Allons dormir. En traversant le hall d'entrée pour regagner sa chambre, il croise un garçon qui porte un plateau de cigares. Un cigare, juste ce qui lui manquait ! Il en achète un, l'allume et s'installe dans un salon pour le déguster à son aise. Près de son fauteuil traînent des journaux. Il prend machinalement le premier. Comme s'il était guidé, son regard tombe aussitôt sur un titre : "Malika a disparu". Ses yeux s'ouvrent tout grands. Il parcourt le texte. Quelques lignes, un simple écho, mais encadré : "Malika a-t-elle disparu ? La question semblera extravagante à nos lecteurs. Et pourtant, depuis son retour d'Europe où elle a remporté un très grand succès, notre célèbre danseuse est introuvable, personne ne sait où elle est. Ses serviteurs confirment qu'elle s'est rendue dans ses deux résidences de Delhi et de Simla où elle est restée peu de temps. Ensuite on perd sa trace. Son téléphone ne répond pas et son courrier s'amoncelle en attente. Nous avons tenté nous-mêmes de la joindre, mais en vain. La police ne semble pas avoir été alertée. Nous tiendrons nos lecteurs au courant. Un petit mystère !"

Ainsi il n'est pas le seul ! D'autres s'inquiètent de la disparition de Malika et la recherchent. Et la presse s'empare du problème de son absence et le porte sur la place publique.

Il ne semble pas que la police ait été alertée... Cela signifie que le journal a interrogé la police et que celle-ci n'était pas au courant. Va-t-elle maintenant se saisir de l'affaire ?

S'il y a affaire...

Ou bien, comme il le pensait jusqu'à présent, il s'agit d'un banal concours de circonstances et tout va s'arranger sans tarder. Ou bien c'est grave.

Malika est-elle en danger ?

D'une certaine façon cela le soulage que d'autres soient également à sa recherche. Il n'est pas un cas isolé. Si Malika se cache, ce n'est pas de lui seul, mais de tous.

Se pose alors la question : pourquoi ?

Al saisit les autres journaux et les feuillette avec soin. Mais ils ne parlent pas de Malika.

C'est étrange. Il a fallu qu'il achète ce cigare, qu'il s'installe dans ce salon, que ces journaux fussent là, en désordre, qu'il prenne au hasard l'un d'eux, que celui-ci parle d'elle (et il est le seul), que son regard accroche immédiatement ces quelques lignes, dans un coin... Aziz dirait : tu vois, Al, c'est un autre clin d'œil du destin...

Balivernes !

Sir Justice Ganguli est-il au courant ? Recherche-t-il sa fille ? A-t-il lu cet écho ?

Al se lève lentement, va à la réception :

– Avez-vous un annuaire téléphonique ?

– Oui, Monsieur.

– Passez-le moi, s'il vous plaît.

Ganguli... Ganguli... Il y a des tas de Ganguli à Calcutta. Ah, le voici. Il note l'adresse, le téléphone, hésite. Et s'il allait tout de suite chez le juge ? Il lui montrerait le journal et l'interrogerait. Non, c'est impossible. Il est presque minuit. Il faut attendre une heure convenable.

– Auriez-vous un plan de Calcutta ?

– Oui, Monsieur. Le voici. Vous pouvez le garder.

Le journal et le plan à la main, il monte dans sa chambre.

Enfoncé dans son fauteuil, il réfléchit.

Le texte du journal prouve que Malika n'est pas chez son père et que celui-ci ignore toujours — il l'a déjà dit à la Begum au téléphone — où elle est. Car le premier soin des journalistes a certainement été de l'interroger. S'il avait pu donner une indication, l'article n'aurait pas été publié.

Cet article ne reflète-t-il pas, sans le dire, l'inquiétude du père ? Celui-ci n'aurait-il pas approuvé sa publication ?

Al marque un temps d'arrêt.

Et s'il l'avait suggéré ?

Sir Justice Ganguli est-il à l'origine de l'intervention de la presse ? Dans quel but ? Eh bien, pour amener Malika à se manifester.

Là, tu vas trop loin, tu t'égares, se dit Al.

Devant lui, sur la table, il y a la bouteille de whisky. Il s'en verse une rasade.

N'y a-t-il pas raison de s'inquiéter ? Il faut l'admettre, plus le temps passe et moins l'hypothèse du banal concours de circonstances reste plausible. Le simple hasard ne peut pas faire indéfiniment que personne ne sache où se trouve Malika. Au fait, les journalistes n'ont pas suivi sa piste jusqu'à l'ashram de Mathura. Lui, il l'a suivie. Ensuite il l'a perdue et il est parti pour Calcutta parce que c'était le seul moyen d'en apprendre un peu plus. Et maintenant qu'il a compris que Malika n'y est pas et que son père ne sait pas où elle se trouve, il débouche sur le vide.

Le vide.

Al saisit la bouteille et boit au goulot.

Pourquoi se cache-t-elle ? Car, il en a la certitude maintenant, c'est bien ce qu'elle fait : elle se cache. C'est d'abord lui qu'elle a fui, à Paris, en le quittant soudain de façon inexplicable. Puis, de retour en Inde, elle a fui les autres. Mais lui et les autres ce n'est pas pareil ! Ils ne sont pas sur le même plan ! Les autres, ce sont ses parents, ses amis, ses relations de travail. Lui, c'est spécial. Elle l'aime ! Il en est sûr, absolument. Il en mettrait sa main au feu.

Or, si elle l'aime, elle ne peut pas vouloir le fuir.

Serait-elle contrainte et forcée ?

L'idée de danger réapparaît.

La sueur coule sur son visage. Il lève à nouveau la bouteille, boit et s'affaisse dans le fauteuil, terrassé par le sommeil.

Une migraine lui serre le cerveau quand il se réveille au cœur de la nuit. En titubant il va à la salle de bains et boit coup sur coup plusieurs verres d'eau. Puis il se dirige vers le lit et s'y écroule en proférant une plainte : ah, est-ce bien le moment de se saouler !

Le soleil est déjà haut quand il s'éveille. Il n'a pas tiré les rideaux avant de se coucher et la lumière envahit brutalement la chambre. Il grogne et referme les yeux. Quelle heure est-il ? Dix heures. C'est malin, il ne pourra pas se présenter chez le juge ce matin ! Sa langue est rêche et il a l'esprit embrumé. Du café ! De l'eau ! Voilà les urgences. Il se rappelle qu'Aziz lui a recommandé de ne pas boire l'eau du robinet en raison de la dysenterie, et c'est ce qu'il a fait cette nuit. Décidément, il les accumule ! Ses vêtements froissés, avec lesquels il a dormi, le dégoûtent. Il a une chemise de rechange, mais il doit donner son pantalon à repasser au plus vite.

En faisant effort il prend le combiné et commande une bouteille d'eau minérale et le petit déjeuner.

Le café le réconforte. Ses idées s'éclaircissent. L'article sur Malika lui revient à l'esprit, avec, en bloc, tout ce qu'il a pu cogiter sur ce sujet. Il secoue la tête. Cela ne va pas. Non, cela ne va pas. Il y a là quelque chose qui cloche. Quelque chose qui a trait au juge, peut-être ? Mais il ne parvient pas à repérer le défaut, à saisir l'élément qu'il a négligé. Après tout, peu importe. Il va voir le juge. Sans s'annoncer au téléphone il se présentera tout de go. Vers les trois, quatre heures. Quatre heures serait le mieux.

Al se lève, s'approche d'une fenêtre. Une foule innombrable, mouvante, circule dans Chowringhee. Et il en est de même en ce moment dans tous les quartiers de cette ville immense, dans toutes les villes de l'Inde surpeuplée. L'idée lui vient que tous ces hommes, toutes ces femmes, dans un certain nombre d'années il n'en restera rien ; ils se seront dissipés en fumée. Une autre foule les aura remplacés, encore plus nombreuse, qui disparaîtra à son tour. Et il en sera ainsi dans toute l'Inde. Et la mort sévira dans le monde entier. Alors, un homme, une femme, quelle importance ? On en fait des histoires, pour un homme. Un homme, c'est presque rien.

Il hausse les épaules. Air connu ! On ne sait rien. On ne comprend rien. Puisqu'il en est ainsi, le mieux est d'aller faire sa toilette. Sans réfléchir plus avant.

Chacun accorde la plus grande valeur à sa destinée. C'est comme ça. Lui le premier. Il sent que cette journée et les suivantes vont être décisives, il est, comme on dit, à la croisée des chemins. Cette pensée ne le quitte plus, le tarabuste jour et nuit. Il s'en fait tout un monde. C'est l'événement mondial.

Seulement, autour de lui, la plupart des gens ruminent aussi leur propre obsession. Chacun a son histoire et son souci majeur. Ce qui devrait nous inciter à relativiser l'importance de nos préoccupations individuelles.

Autrefois, quand il était plus jeune, il n'aurait jamais pensé comme ça. Il était une petite brute. Un fonceur. Un jouisseur. Il a fallu que la vie lui administre quelques volées de bois vert, l'assouplisse, l'ouvre par la souffrance.

Il n'était déjà plus le même quand Malika est apparue pour achever de tout changer.

Ça l'a secoué, Paris. Il n'en connaissait que quelques aspects, quelques bribes minables, du temps où il était voleur. Lorsqu'il y est monté la seconde fois pour suivre les cours du CIM, il l'a découvert. Et l'une de ses premières évidences a été qu'à Paris il y a des gens remarquables, formidables, dans tous les domaines, alors que lui, la moto excepté, il ne savait presque rien. Ainsi de la musique. Il ignorait tout de l'harmonie, sa culture musicale était quasiment nulle, sur le plan de l'exécution il avait encore tant de progrès à faire. Alors il s'est mis au travail, comme un forcené, à son habitude. Sous la direction des professeurs du CIM, qui effectivement étaient excellents, il a étudié les standards et appris à lire les grilles. Pour gagner sa vie il jouait dans des clubs de jazz, assurait des remplacements au "Bilboquet" ou ailleurs, donnait des leçons de guitare. A ses moments de liberté il dévorait Paris, le visitait, entrait partout, dans les musées, les expositions, les magasins, les galeries. C'était comme une forêt vierge. Il y en avait tant, il y en avait trop ! Ça l'enthousiasmait et, d'une certaine façon, par le regard, il se donnait les rudiments d'une culture. La nuit, c'était à la fois le travail et la fête. Il allait dans les clubs, au "New Morning", rue des Petites-Écuries, en particulier, écouter les grands maîtres du jazz, ou retrouvait des copains pour jouer avec eux. Il dormait cinq heures par nuit. Il avait l'impression de se libérer, de grandir, de déployer ses ailes. Et il y avait les femmes...

Cela a duré quatre ans.

Où habite le juge ? Il faut voir ça.

Al prend l'adresse et ouvre le plan. Ballygunge. Cela semble assez loin. Il faudra partir à l'avance. Il est midi. Pour l'instant il va déjeuner.

Sa table est placée entre deux hautes colonnes. La nappe blanche tombe jusqu'au sol et il s'y prend les pieds. Trois serviteurs s'occupent de lui. Il n'a guère faim. Il pense à l'entretien qui l'attend.

De retour dans sa chambre il s'étend sur le lit et, les mains sous la nuque, les yeux clos, rêve à Malika. Il revoit l'île de leur rencontre, le regard qui l'a sauvé, revit leurs premières étreintes.

S'est-il assoupi ? Sans doute. À trois heures moins le quart il descend au garage où la Stinger a été remisée, part pour Ballygunge.

La chaleur le happe, brûlante et poisseuse. Il se faufile dans la foule, emprunte des rues, encore des rues. Il met presque une heure pour atteindre le quartier où habite le juge.

Quel changement ! C'est calme, provincial, un peu désuet. Il n'y a pas d'immeubles, de boutiques modernes. De vieilles maisons, qui fleurent le siècle dernier et la tradition, s'entourent de jardins secrets dont les arbres passent la tête au-dessus des murs d'enceinte. Dans les rues les gens vaquent sans se hâter à leurs affaires. Plus d'autobus couinant, de camions brinquebalant. Des vaches se promènent, songeuses et mélancoliques.

Al s'arrête devant la demeure du juge, qui est imposante. Il est ému. Le cœur lui bat de voir la maison familiale de Malika. Il sonne au portail. Un vieux serviteur vient ouvrir. Il tremble un peu sur ses jambes.

Il a dû faire jouer Malika quand elle était enfant, pense Al.

– Namaste, Sahib.

– Namaste. Parlez-vous anglais ?

– Oui, Sahib.

– Je voudrais voir Sir Justice Ganguli. Dites lui que c'est important. Je suis un ami de Malika.

Une lueur s'allume dans le regard du vieil homme. Il s'incline et prie Al de le suivre. Sur ses pas, celui-ci traverse un jardin touffu, quelque peu négligé, entre dans la maison.

– Veuillez attendre, Sahib.

Le vestibule d'entrée est presque vide. Le sol est en dalles de pierre qui, régulièrement arrosées, dégagent de la fraîcheur. Dans un coin luit un grand chandelier de cuivre à multiples branches. Ce qui impressionne Al, c'est la qualité du silence. On se sent coupé du monde, loin de tout.

Le vieux serviteur est déjà revenu. Il s'incline à nouveau :

– Par ici, Sahib.

Il suit un couloir, ouvre une porte matelassée aux battants de tissu noir.

– Veuillez attendre un instant.

Al réprime un geste de surprise. Les murs de la vaste bibliothèque où il vient de pénétrer sont entièrement recouverts de livres. Pas un tableau, pas un ornement, jusqu'au plafond, rien que des livres. Une table de travail très large, avec une lampe en opaline verte, occupe le fond de la pièce. Devant les fenêtres, qui donnent sur le jardin, deux fauteuils et une table basse. Quelques tapis légers étouffent le bruit des pas.

Al s'approche de la table où il voit deux photographies encadrées. Fasciné, il les contemple. L'une représente Malika adolescente, l'autre une femme très belle, au sourire discret. Sa mère.

Un climatiseur chante doucement.

Al parcourt des yeux les rayonnages. Droit, psychologie, criminologie, psychiatrie, histoire. Et beaucoup d'autres ouvrages dont il ne peut lire les titres, car ils sont en bengali.

La masse de ces livres est confondante. Al en est intimidé. Il se détourne vers la porte dans l'attente du juge. Celui-ci paraît.

Il est de haute stature, vêtu à l'européenne. Ce qui frappe aussitôt, c'est la puissance harmonieuse du visage aux traits forts mais équilibrés. Le front est vaste, barré à gauche par une mèche blanche, les arcades sourcilières sont bien dessinées. La douceur des joues et la sensualité des lèvres atténuent ce que le nez busqué et le menton volontaire pourraient avoir de trop vigoureux. Les yeux, d'une couleur à première vue indéfinissable, paraissent d'autant plus clairs qu'ils tranchent sur la peau basanée. Leur regard attire et envoûte. On y lit beaucoup d'expérience et une perspicacité redoutable ennoblie par la bonté. Au coin des yeux des faisceaux de petites rides suggèrent le sens de l'humour.

Tel est celui que les Bengalis appellent Sir Justice Goodness.

Le père de Malika.

Il salue Al d'un mouvement de tête, l'invite d'un geste à s'asseoir, le dévisage en silence.

Il m'étudie, pense Al qui se demande s'il doit parler ; il va se présenter mais le juge le devance :

– Vous êtes un ami de ma fille ?

– Oui, Monsieur. Mon nom est...

– Comment va-t-elle ?

– Je... je ne sais pas...

Sir Justice Ganguli ne prend pas la peine de dissimuler sa déception :

– Entendez-vous que vous ne l'avez pas vue récemment ?

– En effet. Pas depuis trois semaines.

– C'est quand même beaucoup plus récent que moi ! s'exclame le juge. Figurez-vous, Monsieur, que je n'ai pratiquement plus de nouvelles de ma fille depuis son départ en Europe. Deux cartes de Londres, deux autres de Paris — Tout va bien. Affections — et rien depuis qu'elle est de retour en Inde ! Où l'avez-vous vue ?

– A Paris.

– Vous êtes Français, n'est-ce pas ?

– Oui. Mon nom est...

Un sourire paraît sur le visage du juge :

– Je connais un peu votre pays, Monsieur. Je suis allé à Paris quand j'étais étudiant à Londres, il y a bien longtemps de cela. J'y suis revenu par la suite, invité à des congrès. Je connais aussi ce que vous appelez le Midi. Un de mes amis a une maison à Eze.

Al opine de la tête.

– Donc, vous avez vu ma fille il y a trois semaines à Paris. Vous êtes privilégié. Depuis quand la connaissez-vous ?

– Trois mois.

– Ah ?

Le juge l'observe. Al se raidit. Il voudrait être parfaitement naturel, décontracté, mais le regard des yeux clairs le scrute et le fouille, c'est plus fort que lui, il ne peut se détendre, se décrisper.

– C'est ce que l'on appelle une amitié récente. (Y a-t-il une nuance narquoise dans cette phrase ? Al ne saurait l'exclure tout à fait). Quand elle a quitté Paris, ma fille se portait bien ?

– Mais oui, Monsieur. Parfois une migraine. Mais cela ne durait pas.

– Elle y est sujette en effet, surtout quand elle se fatigue, ce qui est inévitablement le cas dans ses tournées. Et vous voici en Inde, à Calcutta. Je suis heureux de vous rencontrer et des nouvelles récentes que vous m'apportez. Au fait, votre nom...

– Al. On m'appelle Al. C'est un diminutif d'Alexandre. Al tout simplement.

– C'est simple, en vérité. Vous avez raison. En tout, cherchons la simplicité. (Le juge se paierait-il sa tête ?) Et que faites-vous dans la vie ?

C'est irritant au possible ! Al voulait parler, interroger, conduire la conversation à sa guise, et c'est le juge qui pose toutes les questions, à croire qu'il procéderait à un interrogatoire !

– Je suis musicien.

– Compositeur ?

– Instrumentiste.

– De quel instrument jouez-vous ?

– De la guitare.

– Et voilà ! Vous êtes musicien, ma fille est danseuse. C'est ainsi que l'on se rencontre et que l'on se lie d'amitié.

Al ne sait que répondre.

– Oui, murmure-t-il.

Parle donc, se dit-il en même temps. C'est le moment ! Mais il ne parvient pas à se libérer de la timidité qui l'entrave et à prendre l'initiative. Il a l'impression d'être une pièce d'échecs poussée et assiégée dans un coin.

– Que puis-je pour vous, Monsieur Al ?

– Al. Seulement Al.

– Pardonnez-moi, Al.

– Je suis venu en Inde pour affaires...

– De musique ?

Al rougit légèrement.

– Non. Plus... générales. Et, me trouvant à Calcutta, j'ai pensé que je pourrais y voir Malika.

– Évidemment.

– Or, je crois comprendre...

Le juge se lève soudain et se met à arpenter la pièce :

– Eh oui, vous êtes intelligent et vous avez compris. Ma fille n'est pas ici. Je n'ai plus de ses nouvelles. Et vous m'en voyez préoccupé, inquiet et mécontent !

– C'est en effet étonnant.

– Je ne vous le fais pas dire ! Réalisez cela, je vous prie. Ma fille part pour l'Europe où elle doit séjourner deux mois. Elle y reste trois mois de plus, sans me téléphoner, sans quasiment m'écrire, sans me donner son adresse, ce qui est tout à fait contraire à ses habitudes, et, à son retour, ne se dérange pas pour venir me voir. A ma place, que diriez-vous ? Il y a de quoi s'étonner, n'est-ce pas ?

– En effet.

La porte s'est ouverte. Le vieux serviteur entre, apportant le thé. Il pose le plateau sur la table et se retire.

– Une tasse de thé, Al ?

– Avec plaisir.

Le juge le sert.

– Un peu de lait ?

– Oui, merci.

Le juge se sert à son tour. Il tourne la petite cuillère dans la tasse en faisant beaucoup de bruit. C'est incongru, énervant. Cela irrite Al qui, toujours sur la défensive mais aux aguets, se demande si son hôte ne cherche pas ainsi à l'exaspérer.

Le bruit cesse soudain. Un silence. La voix du juge s'élève :

– Eh bien, Al, si nous cessions de jouer au plus fin et de mentir ? Si nous disions la vérité ?

Ces mots, proférés sur un ton dur, presque métallique, atteignent Al de plein fouet. Il pâlit, sa tasse tangue et du thé se répand dans la soucoupe. Son regard rencontre celui du juge. Le temps d'un éclair il se demande s'il va se lever et prendre la porte, ou bien protester, finasser. Mais non, ce n'est pas possible. Le regard qui le capte et l'envahit n'est ni provoquant ni méchant. C'est celui d'un homme bienveillant, conciliant, qui offre de parler raison. Ses défenses tombent d'un coup.

– Soit, dit-il avec un soupir. Parlons franchement.

– Vous n'êtes pas en Inde pour affaires. A moins d'un engagement dans un orchestre local, ce qui est improbable, je ne vois pas ce qu'un guitariste français pourrait faire ici. Exact ?

– Juste, dit Al.

– Je ne veux pas connaître la nature des sentiments que vous portez à ma fille. Cela ne me regarde pas. Mais je suis sûr que vous la recherchez et que c'est pour cela que vous êtes venu de Paris. Exact ?

– Oui.

– Comme moi, comme d'autres, vous ne parvenez pas à la retrouver et cela vous inquiète. Exact ?

– C'est vrai.

– Peut-être même savez-vous que sa disparition — si le mot convient — a déjà filtré dans la presse.

– J'ai lu "L'Observer" hier soir, par hasard.

Le juge hoche la tête :

– Ces journalistes sont insupportables. Ils fourrent leur nez partout.

– J'ai pensé que vous aviez peut-être inspiré cet article. Que c'était une façon d'envoyer un message à Malika.

Le juge émet un rire amer :

– Certes non ! Je ne livrerai jamais mes soucis de famille à une feuille de chou ! Eh bien, je vous ai dit tout ce que je savais de ma fille pour ces derniers mois, c'est-à-dire presque rien. A votre tour, parlez. Si du moins vous avez confiance.

– J'ai rencontré Malika il y a un peu plus de trois mois en France.

Le juge a un geste bref de la main :

– Soit.

– Elle a décidé d'y rester quelque temps. Il y a trois semaines, elle a quitté Paris sans me prévenir et sans que rien puisse me permettre de le prévoir.

– Aucune explication ? Aucune allusion ?

– Aucune. J'ai attendu une semaine. Ensuite j'ai pris l'avion pour Delhi où un ami m'a hébergé. A partir de Delhi j'ai fait l'impossible pour retrouver Malika.

Le juge se penche en avant :

– Qu'avez-vous fait ?

– Je me suis rendu à sa maison de Delhi. J'y suis tombé sur Vasudev Maharaj, le maître de danse, qui m'a pour ainsi dire mis à la porte après m'avoir affirmé qu'il ne savait pas où se trouvait Malika. Mais j'ai appris par un musicien qu'elle était partie pour Simla après être passée par Delhi. Je suis donc allé à Simla.

– Ensuite ?

– J'y ai rencontré un écrivain, un certain Desaï.

– Je le connais.

– Il m'a annoncé que Malika venait de quitter Simla pour une destination inconnue.

– Delhi, Simla, je sais tout cela, dit le juge. J'ai appelé Vasudev Maharaj et Desaï. Quoi d'autre ?

– J'ai pu me faire préciser cette destination : l'ashram d'Anandabhavan à Mathura.

– Ah, le Maître ! J'aurais dû y penser !

– Lorsque je suis arrivé à l'ashram, Malika venait de le quitter.

Un silence.

– Et alors, qu'avez-vous fait ? demande doucement le juge.

– A l'ashram, quelqu'un m'a parlé de Malika. Cette personne l'avait trouvée tendue, nerveuse. Dans les propos que lui a tenus Malika un nom est revenu plusieurs fois, Jahan Begum, à Lucknow. Muni de cette seule indication, je suis parti pour Lucknow.

– Eh bien !

– La Begum m'a reçu de façon fort aimable. Malika lui avait téléphoné de Delhi, annonçant sa visite prochaine, mais sans fixer de date. La Begum ignorait où elle se trouvait pour l'instant. Elle vous l'a dit au téléphone.

Le juge paraît surpris :

– Oui. Elle m'a appelé il y a quelques jours. Comment le savez-vous ?

– J'étais présent. C'est d'ailleurs cette conversation qui m'a appris que vous habitez Calcutta et m'a donné l'idée de vous interroger.

– Je vois.

– S'est alors produit...

Al s'arrête, hésitant.

– Dites !

– ... Un incident malencontreux. En quittant la Begum j'ai croisé le maître de danse qui se rendait chez elle. Il a fait semblant de ne pas me reconnaître. Plus tard, la nuit venue, incapable de dormir et poussé par je ne sais quelle impulsion, je suis retourné chez la Begum. Une voiture s'en allait dans laquelle se trouvaient Vasudev Maharaj et une femme au visage voilé, dont j'ai pensé aussitôt que c'était Malika. J'en étais sûr. Pour moi cela ne faisait aucun doute ! Je me suis rué chez la Begum. J'étais hors de moi. Je lui ai dit que je venais de voir Malika. La Begum, que j'accusais ainsi d'imposture, s'est mise dans une rage folle. Elle m'a dit n'importe quoi, tout ce qui lui passait par la tête, et a menacé de me faire jeter dehors. Je m'étais trompé. Ce n'était pas Malika que j'avais vue dans la voiture, mais la sœur de la Begum.

Le juge sursaute :

– Pardon ?

Al répète :

– La Begum m'a dit que cette femme était sa propre sœur. Qu'avez-vous ?

– Rien, rien, dit le juge. Poursuivez, je vous prie.

– Non ! s'exclame Al. Vous me cachez quelque chose. C'est vous qui mentez maintenant !

Un sourire narquois paraît sur les lèvres de Sir Justice Ganguli. Pour la première fois de sa vie on vient de l'accuser de mentir.

– Je suis surpris, dit-il d'une voix neutre. Je connais la Begum depuis sa tendre enfance ; elle est un peu ma seconde fille ; une nièce, une filleule si vous préférez.

Il marque un temps :

– La Begum n'a pas de sœur.

Al se lève tout d'une pièce. Il est livide.

– Êtes-vous sûr ? dit-il.

Le juge hausse les épaules.

Al s'effondre dans son fauteuil. La tête lui tourne. Il ressent comme un coup de poing dans l'estomac et ne parvient pas à retrouver son souffle. L'évidence est là, devant lui, aveuglante, accablante. La Begum a menti. Il avait raison. C'était Malika. Celle-ci ne pouvait ignorer sa visite. Malika l'a fui.

Elle l'a fui à Paris, puis en Inde. A Delhi, à Simla, il ne sait pas, il n'est pas sûr. Mais elle l'a fui quand un message lui est parvenu à l'ashram, l'avertissant de son arrivée. Elle l'a fui à Lucknow...

La bibliothèque et ses milliers de livres tournent autour de lui. Le cœur lui lève. Il a envie de vomir. Il ferme les yeux.

A-t-il entendu la plainte qui est sortie de ses lèvres ?

Immobile, le juge contemple cet homme terrassé.

– Ce n'est pas possible, dit-il.

Al ne répond pas. Il pense à cette plage, dans l'île, quand il avançait dans la mer. Pourquoi s'est-il retourné ? Pourquoi ce regard s'est-il posé sur lui ? Pourquoi cet espoir, ce bonheur lui ont-ils été donnés si ce n'était qu'apparence trompeuse et simple sursis ? Le pêcheur tire le poisson sur le sable, puis le rend à la mer. Mais l'hameçon est demeuré et il l'en sort à nouveau. Cruauté.

– Ce n'est pas possible, répète le juge. Si ma fille avait été chez la Begum, celle-ci me l'aurait dit.

Al ouvre les yeux :

– La Begum vous a menti, comme à moi.

– C'est impossible. Ne vous ai-je pas dit ce qu'elle était pour moi ? Ce que je suis pour elle ? Un autre père. Elle ne peut me mentir.

Al se lève et fait trois pas dans la pièce. Son visage est moite, ses jambes flageolent. Il passe sa main sur sa tempe. Devant lui s'alignent les rangées de livres, indifférents et muets à vous donner la nausée. Criminologie... Psychiatrie... Les maladies mentales... Tout s'est écroulé. Tout est vide. Va-t-il devenir fou ?

– Les faits sont là, dit-il sur un ton morne. La Begum n'a pas de sœur. Donc elle a menti. C'était Malika.

Le juge a posé ses coudes sur ses genoux et, la tête dans les mains, réfléchit. Puis, lentement, il se redresse. Ses traits sont tendus. A nouveau il contemple cet homme accablé, au dos soudain voûté.

– Vous ne pensez qu'à votre problème personnel, dit-il. C'est naturel. Moi aussi, je pense au mien. Oui, c'est naturel. Nous sommes tous conduits et aveuglés par notre ego. Si vous avez raison, si Malika était chez la Begum ce soir là, alors les questions que je dois me poser deviennent encore plus inquiétantes et pressantes. Car on m'aurait menti à moi aussi. Et si Malika vous évite, elle me refuse également. Elle verrait son amie d'enfance, la Begum, et son maître de danse, mais ni vous ni moi. Pourquoi cette discrimination ? Cette exclusive ? A quoi rime tout cela ? Au fond, nous sommes dans la même galère, vous et moi.

Étonné, Al se retourne et le regarde. Il n'y avait pas pensé. Mais cette remarque le laisse insensible. C'est à peine s'il perçoit la surprise douloureuse et l'angoisse de celui qui lui parle. Il est comme anesthésié. Et puis il se dit qu'il est à côté de la plaque, le juge. Il approche des soixante dix ans ; sa chevelure est blanche ; il a fait sa vie. Tandis que lui, Al, c'est tout son présent, tout son avenir qui s'effondrent.

– Vous ne voyez donc pas ! Vous ne réalisez pas ! s'exclame soudain le juge. Peu m'importe votre souffrance, si du moins vous souffrez vraiment. Et peu m'importe la mienne ! La seule chose qui compte, c'est Malika ! Or, ce que je n'arrive pas à comprendre, ce qui m'inquiète par-dessus tout, c'est que, m'aimant, elle me fuit !

– Elle m'aime aussi !

– Ah, dit le juge d'une voix tremblante, il fallait bien qu'elle sorte, cette phrase que je ne voulais pas entendre. Ma fille vous aimerait ? En êtes-vous certain ?

– Oui ! dit Al. Et je vous défends...

Le juge lève une main :

– Ne nous disputons pas. Eh bien, à supposer qu'il en soit ainsi, voyez comme nos situations sont comparables. Elle m'aime et me fuit. Elle vous aime et vous fuit. Expliquez moi cela, je vous prie. Peut-être, poursuit-il en hochant la tête, passe-t-elle par une période difficile. Par une crise... Il y a des moments dans la vie où l'on voudrait se retirer du monde, ne plus voir personne, oublier...

– Peut-être, dit Al.

– Ce n'est pas son genre, pourtant. Elle est solide. Et jamais je ne lui ai fait défaut. Elle a toujours su qu'elle pouvait compter sur moi. Je suis là. Moi aussi, je suis fort. Et puis, s'écrie-t-il en se levant à son tour, et d'une voix ranimée, presque stridente, nous sommes des idiots ! Au lieu de battre la campagne, de nous torturer de questions, d'imaginer nous ne savons même pas quoi, tirons les choses au clair ! Ayons en le cœur net ! Venez ! J'appelle la Begum !

Il pousse violemment une autre porte, capitonnée elle aussi, et entre dans un bureau beaucoup plus exigu où se trouve le téléphone. Il saisit le combiné et, sans consulter l'annuaire, compose le numéro de la Begum.

Al est près de lui.

– Tenez, lui dit-il. Prenez l'écouteur ! Allô ! Ici Justice Ganguli ! Je veux parler à la Begum. Vite ! C'est urgent !

Presque aussitôt, la voix de la Begum :

– Dadaji ! Comment allez-vous ?

– Écoute moi bien, Jahan. Je vais au fait. As-tu des nouvelles de Malika ?

– Non. Pas depuis...

– C'est quand même incroyable !

– Oui, cela paraît surprenant. Mais je suppose qu'il n'y a pas lieu de s'inquiéter.

– Comment peux-tu dire cela ? Pourquoi penses-tu qu'il n'y a pas lieu de s'inquiéter ? Tu sais quelque chose ?

– Non. Je dis ça comme je le sens. C'est mon intuition, voilà tout.

– Écoute. J'ai chez moi un Français qui s'appelle Al. Tu connais ?

Al perçoit une hésitation au bout du fil. Comme un souffle soudain retenu. Celui d'une personne prise au dépourvu et qui réfléchirait très vite.

– Si je connais ! Il a bu ?

La garce ! pense Al. J'aimerais l'attraper et lui flanquer une fessée !

– Non. Il n'a pas bu. Il est correct.

– Vous avez de la chance. Il est venu chez moi et m'a fait une scène invraisemblable. J'ai dû appeler mes domestiques.

– Il me raconte une étrange histoire. Il a vu une voiture sortir de chez toi. A l'intérieur, Vasudev Maharaj et une femme. Tu lui as dit que cette femme n'était pas Malika, mais ta sœur. Je répète : ta sœur. C'est abracadabrant !

Rire glacé de la Begum :

– Il avait bu ! Il n'a rien compris, Dadaji ! Je ne lui ai pas dit "ma sœur", mais ma "belle-sœur". Vasudev Maharaj raccompagnait Ladli à la gare.

Al sursaute et serre les poings.

– Ah bon, dit le juge. Tout s'explique. Et, si je ne suis pas indiscret, que faisait-il chez toi, Vasudev Maharaj ?

– Il a de la famille à Lucknow. Il est venu la voir et en a profité pour me rendre visite.

Al ne peut s'empêcher de ricaner.

– Bon. Si tu apprends quelque chose au sujet de Malika, tu m'appelles ?

– Et réciproquement. C'est promis. Elle ne peut tarder à se manifester.

Le juge raccroche le combiné et se tourne vers Al :

– Alors ? Tout s'explique. Vous avez mal compris. C'était sa belle-sœur.

Al ne répond pas.

– Eh bien ? Eh bien ?

– La Begum a déjà menti. Elle ment une deuxième fois. Entre "sœur" et "belle-sœur" il y a une sacrée différence. J'avais bien compris : sœur. Et je - n'étais - pas - ivre. C'est son troisième mensonge, qui souligne les deux autres.

Il a parlé lentement, mais avec un tel accent de rancœur que le juge, impressionné, le contemple en silence.

Ils reviennent dans la bibliothèque. Le juge s'assied. Il joint les extrémités de ses doigts, penche la tête comme s'il se recueillait.

Le silence se prolonge.

– Cela ne nous apprend rien sur Malika, gémit-il.

– Je vais retourner chez la Begum, dit Al. Je saurai la faire parler.

Sir Justice Ganguli sursaute :

– Qu'est-ce qui vous prend ? Nous ne sommes pas de la mafia, que je sache ! En voilà des manières ! Il pourrait vous en cuire ! Gardez votre sang-froid !

– Elle sait, répète Al. La solution est chez elle.

– Allons, allons, ne nous énervons pas. Vous avez pris un mot pour un autre. Cela arrive à tout le monde. Et l'anglais n'est pas votre langue. Je garantis, moi, que la Begum ne me ment pas.

Al laisse son regard errer sur les livres. Tant de labeur, tant de savoir, et trembler, trembler comme un enfant parce qu'un seul être vous manque, un être passionnément aimé. C'est ça, la vie. On travaille, on construit, on rêve à l'avenir, et soudain tout s'effondre. Quant à lui, il n'a plus rien. Pas même un espoir. Malika le fuit.

– Au revoir, Monsieur. Je vous remercie de votre accueil. Je crois que nous nous sommes tout dit.

– Quoi, vous partez ! s'exclame le juge. Oh non, pas ainsi. Ne nous séparons pas dans l'incompréhension, la froideur. Vous aimez ma fille, dites-vous. Nous aimons donc la même personne. Elle nous lie. Écoutez, poursuit-il en se levant, voyons nous demain. Pas ici. Je vais chaque week-end à ma maison de Barrackpore. Ma résidence de campagne. Elle est au bord du fleuve. C'est beau, vous savez. C'est calme. Venez. Nous passerons la soirée, nous dînerons ensemble. Un lit sera prêt. Vous pourrez y dormir. Nous parlerons.

– De quoi ? demande Al méchamment. De papillons ?

– Ah, vous savez, dit le juge avec un pauvre sourire. On vous a instruit de ma petite manie. Non, nous parlerons d'elle.

– Je dois l'oublier, la détruire en moi, dit Al presque à voix basse. Votre fille ne veut plus me voir.

– Cessez donc de vous tourmenter. Vous imaginez l'invraisemblable. A vous entendre, elle me fuirait, moi aussi, ce qui est impossible. Tout va s'expliquer, je vous assure, et nous finirons par en rire.

Al tourne le dos et s'éloigne.

– Attendez ! s'écrie à nouveau le juge. Je vais vous donner mon adresse ! (Il prend un papier et griffonne quelques mots.) Barrackpore, c'est de l'autre côté de la ville. Juste à l'opposé. Rien de plus facile à trouver. Tenez ! (Il agrippe Al par l'épaule et fourre le papier dans sa poche.) Je vous attendrai demain. A cinq heures. Cela vous va ?

Al quitte la pièce. Il traverse le vestibule, descend dans le jardin, enfourche la Stinger. Il se retourne. Le juge est sur le perron. Le buste incliné en avant, tendu vers lui, il agite la main :

– N'oubliez pas ! Demain !

Il panique, il est pitoyable, le juge, pense Al en s'éloignant. Il est effrayé parce qu'il souffre sans comprendre. Comme un animal pris au piège. Malgré sa notoriété, ses papillons et ses livres, il a peur de rester seul avec sa souffrance. Il doit professer de belles idées sur l'humanité, la solidarité et l'altruisme, mais il n'aime qu'une personne, sa fille. Et parce que son enfant ne lui donne plus signe de vie, il tremble et perd l'équilibre. Alors il se raccroche au premier venu, même s'il n'a pour lui aucune sympathie, en l'occurrence moi. Je ne suis pas de son milieu, je ne suis pas de sa culture, et l'idée que sa fille puisse m'aimer lui est insupportable.

Est-il seulement sincère ? Est-il droit ? Il m'a fait parler ; j'ai tout dit. Mais de lui je ne sais qu'une chose : le silence de sa fille le tourmente. Quel jeu joue-t-il ? En ce moment ne rappelle-t-il pas la Begum pour avoir une conversation très différente avec elle : allons, mon petit, je suis seul à présent. L'énergumène est parti. Dis moi la vérité. Elle était bien chez toi, Malika ? Que se passe-t-il ? Je n'en dirai rien. Je serai la discrétion même, je te le jure. Et puis, au fond de lui-même, ne se réjouit-il pas de ce que Malika me fuie ? Je la retrouverai, doit-il se dire. Mais seule. Je n'ai que faire de cet importun.

Allons, Al, rien de tout cela n'est vrai. Parce que tu broies du noir tu prêtes à cet homme des pensées qui ne sont pas dans son caractère. Il est noble, il est vrai, le juge. Tu l'as senti. Et c'est pour cette raison là que tu as parlé. Il en est au même point que toi : l'énigme et la souffrance. Mais tu n'iras pas le voir demain. A quoi bon ? Pour ressasser ce qui a déjà été dit ? Sois franc. Son inquiétude et sa douleur, tu t'en moques. Il n'y a que les tiennes qui comptent.

Non, tu ne t'es pas trompé. La Begum a bien parlé de sa sœur. Sa sœur. On veut te faire prendre des vessies pour des lanternes. Et la Begum sait bien que tu n'avais pas bu ce soir là.

Malika ne veut plus me voir...

Oublier. Ne plus penser.

Le soir tombe. Il a laissé derrière lui le quartier tranquille et replongé dans les foules compactes. Il conduit en état second, avec l'infaillibilité des somnambules, évitant de peu le choc et la chute. Une fois pourtant il heurte un montreur de singes savants, dont un disciple, vêtu d'une casaque jaune et coiffé d'un chapeau plat de groom, se met à piailler. Voyant l'occasion d'un bon pourboire, le maître renchérit sur le ton du désespoir absolu en se lamentant sur la mort prochaine de la vedette de sa troupe, qui en fait n'a été qu'effleurée. Un attroupement se forme. Les autres singes commencent à hurler avec des mimiques expressives. La foule s'esclaffe. Al se sent grotesque et s'énerve. Il s'en tire avec un billet de cent roupies et, survolté, repart.

S'est-il trompé plusieurs fois de chemin ? Sans doute, car il fait nuit quand il atteint le Grand Hôtel. Il range la Kawasaki au garage et, sans demander sa clef ni regarder quiconque, sans même apprécier la fraîcheur délicieuse de l'hôtel, va au bar.

– Garçon, un whisky !

Assis sur un tabouret, il s'accoude au comptoir et commence à boire. Il s'aperçoit vaguement dans la glace qui lui fait face mais n'y prête pas attention. Il se sent creux, vide. Un goût de fer lui serre la gorge, le palais, chez lui c'est un symptôme de désespoir, de grande douleur. Il boit. L'image de Malika rôde autour de lui. Il la chasse à coups de lampées d'alcool. Celle de la Begum s'impose soudain. Celle-là, il la hait ! L'humilier, la punir... Mais le juge a raison, qu'irait-il faire à Lucknow ? La Begum doit se méfier. Assailli par une meute de domestiques, il ne pourrait avoir avec elle l'explication décisive. Pourtant, cela tourne à l'obsession, il veut, non point savoir que Malika était présente ce soir-là, cela il en est certain, mais l'entendre de la bouche des autres afin que cela soit reconnu et admis. Au fait, il pourrait aller à Delhi pour y revoir le maître de danse. Il était avec Malika à Lucknow ; il sait donc. Voilà une excellente idée ! Rien ne le retient à Calcutta. Il va repartir pour Delhi, retrouver Aziz et rendre visite à Vasudev Maharaj. Un homme, ça se secoue plus durement qu'une femme. Il va le faire danser, celui-là. Il va le forcer à s'expliquer ! Un bon moment en perspective. Pour une fois on va s'amuser !

Son regard flotte à la surface du miroir qui lui renvoie l'image d'un homme assis non loin de lui au comptoir. Al ne le voit que de dos. Qui est-ce ? Il a le sentiment de l'avoir rencontré quelque part. Soudain il se souvient. Simla... L'écrivain... C'est Desaï !

Un instant Al le contemple, puis il a un curieux sourire, se lève, s'approche et lui tapote l'épaule. Desaï se retourne. Leurs yeux se rencontrent. Desaï ne peut réprimer un geste de recul. Le moins que l'on puisse dire est que cette rencontre ne lui paraît pas opportune.

– Comment allez-vous ? demande Al d'une voix douce.

L'écrivain s'est ressaisi. Il est bonhomie, assurance :

– Très bien. Et vous ? Quel plaisir de vous revoir !

– J'ai gardé un excellent souvenir de votre hospitalité à Simla.

– Vous m'en voyez heureux. Moi-même j'ai été ravi...

– Vous êtes donc descendu de vos montagnes ? Cela doit être pour une affaire importante.

Desaï hoche la tête :

– Très importante, en effet. Je ne m'attendais pas à vous trouver ici, loin de Delhi.

– Cela me surprend également. Les hasards de la vie...

– Que faites-vous au Bengale ?

Question imprudente. Al la souhaitait, l'attendait. Il plonge son regard dans celui de Desaï :

– Je cherche Malika.

Desaï bronche légèrement :

– Vraiment ? Vous ne l'avez pas encore vue ?

– Et vous ?

Desaï prend une allure désinvolte :

– Elle n'est pas revenue à Simla. Et j'avoue qu'avec ces affaires qui me préoccupent — vous savez, le lancement d'un livre, l'éditeur, les critiques — je n'ai guère eu le temps...

Al lui coupe la parole :

– De lui envoyer un message à l'ashram ?

Desaï pâlit :

– Pardon ? Je ne comprends pas.

– Vous m'avez dit à Simla que vous ignoriez où était partie Malika. C'était faux. Vous saviez qu'elle se trouvait à l'Anandabhavan Ashram à Mathura. Vous avez ensuite pensé que je n'étais pas tout à fait idiot et que j'avais pu me renseigner à la Poste. Vous y êtes allé et vous en avez eu confirmation. Alors vous avez envoyé un message à Mathura pour avertir Malika de ma venue.

Desaï se met à rire :

– En voilà, mon cher, des inventions ! C'est vous qui devriez écrire des romans !

– Ne riez pas. Ne niez pas. C'est inutile. Si j'excepte un ami de Delhi, qui est totalement hors de cause, vous étiez le seul à connaître ma présence à Simla. Le seul aussi, avec Vasudev Maharaj, à savoir que je cherchais Malika. Le message qui l'a déterminée à quitter Mathura ne pouvait venir que de vous.

– Cette conversation me paraît prendre un tour étrange. Si vous permettez...

Desaï fait le geste de descendre de son tabouret, mais Al l'agrippe par le bras :

– Vous ne partirez pas, Desaï. Nous allons parler.

– Je n'en ai plus envie.

– Que vous le vouliez ou non, nous parlerons.

– Vraiment ? Excusez-moi...

Il s'apprête derechef à partir, mais la poigne d'Al le cloue sur place.

– De gré ou de force vous parlerez.

– De force ?

– Oui.

Al serre le bras de son interlocuteur avec une telle vigueur que celui-ci devient livide.

– J'ai horreur du scandale, articule Desaï en grimaçant. Je ne me battrai pas avec vous. Eh bien, parlons.

– Puis-je vous offrir un verre ?

– Pourquoi pas ? Un whisky, s'il vous plaît.

Al commande deux whiskies. L'un et l'autre boivent une gorgée, se regardent.

– Vous avez donc envoyé un message à l'ashram ?

– Oui, reconnaît Desaï.

– Annonçant mon arrivée à Malika ?

– Non. Lui disant que vous la cherchiez et qu'il était possible que vous alliez à Mathura. Il y a une nuance.

– Vous saviez pourtant que j'avais interrogé la Poste et que j'avais l'adresse de l'ashram.

– Je ne me suis pas donné la peine de vérifier vos faits et gestes, corrige Desaï non sans ironie. J'ai supposé que, d'une façon ou de l'autre, par un domestique, un facteur, que sais-je, vous apprendriez la vérité.

– Pourquoi m'avoir menti ? Et pourquoi ce message ?

Desaï fait tourner son verre, soupire :

– Au point où en sont les choses, je suppose que je peux vous dire la vérité. Malika est arrivée à Simla. Je ne l'avais pas vue depuis cinq mois et je l'ai trouvée changée. Elle n'avait plus la même insouciance, la même gaieté. Elle ne chantait plus, ne riait plus comme elle en avait l'habitude. Il n'était plus question de ses projets de danse. Elle était sombre, renfermée.

– Nerveuse ?

– Oui. Plus exactement je percevais chez elle une grande tension qu'elle s'efforçait de contrôler ou à tout le moins de cacher. Je lui ai demandé ce qui n'allait pas. Elle m'a répondu qu'elle avait des soucis. Je n'ai pu en apprendre davantage.

Al a les yeux rivés sur le visage de son interlocuteur. Il sent que celui-ci dit la vérité.

– Ceci n'explique ni votre mensonge ni votre message.

Desaï lève son regard sur lui :

– Vous voulez vraiment savoir ?

– Oui.

– Cela ne vous sera pas agréable.

– Peu importe. Parlez.

– Le surlendemain de son arrivée à Simla, Malika est venue chez moi. Elle était blafarde et très agitée. Elle m'a raconté qu'elle avait rencontré un Français pendant son séjour en Europe, mais que sous aucun prétexte elle ne voulait le revoir. Or Vasudev Maharaj venait de l'appeler de Delhi pour l'avertir qu'un Français justement — un nommé Al — s'était présenté à sa résidence et avait demandé à lui parler. Il est de notoriété publique que Malika possède une maison à Simla ; les journaux, les magazines en parlent ; vous pouviez l'apprendre. Elle m'a donc recommandé, si vous veniez à Simla, de vous recevoir avec courtoisie, mais de vous répondre que je ne savais pas où elle était. Ce que j'ai fait. Après votre départ je lui ai envoyé un message pour l'informer. C'était naturel.

Al a baissé la tête. Il souffre. Une contraction douloureuse lui serre le cœur. Il n'y a pas de dureté apparente dans la voix de Desaï ; elle est neutre. Mais ses paroles n'en sont pas moins cruelles. Elles précisent, confirment la volonté de Malika de l'éloigner, de le fuir. Si du moins il dit encore la vérité.

Il vide son verre d'un trait.

– Il est moins naturel, poursuit Desaï avec une pointe d'agressivité, que vous vous acharniez à retrouver Malika. Vous auriez dû comprendre qu'elle ne veut plus vous voir. A présent, en tout cas, vous le savez par moi.

– Dois-je vous croire ?

– Comme il vous plaira. Mais les faits parlent d'eux-mêmes. Il reste que votre insistance est déplaisante et déplacée. Il est possible que votre conduite passe pour normale en Europe. Je n'en sais rien. Chez nous ce n'est pas le cas. A quoi cela ressemble-t-il ? Vous allez de ville en ville, réclamant Malika de tous côtés. Sa réputation peut en souffrir. Et vous vous desservez vous-même. Ayez donc l'élégance de vous incliner et de partir.

Al se rebiffe :

– Malika vous aurait-elle chargé de me le dire ?

– Non. Mais elle ne m'a pas, au contraire, caché qu'elle ne souhaitait plus vous rencontrer. Et vous vous êtes rendu chez la Begum...

– Qui vous a dit que j'étais ivre...

Desaï paraît surpris.

– Pas le moins du monde. Mais votre visite l'a étonnée. Elle ne vous connaît pas. Vous surgissez à l'improviste. Et vous réclamez Malika ! Pourquoi vous ferait-elle confiance ? Encore une fois, ces manières n'ont pas cours chez nous. Vous voici maintenant à Calcutta. Pourquoi, je vous le demande !

– Devinez.

– A coup sûr pour interroger le père de Malika, Sir Justice Ganguli, et lui poser votre éternelle question : où est-elle ?

– Je l'ai vu, dit Al.

– Que vous a-t-il appris ?

– Vous êtes curieux de le savoir, note Al. Mais à mon tour d'interroger. Pourquoi avez-vous appelé la Begum ? Pourquoi êtes-vous à Calcutta ? Avez-vous décidé de me suivre, de me surveiller ?

Desaï hausse les épaules :

– Qu'allez-vous imaginer ? Je n'en verrais pas l'intérêt.

– Pourquoi me haïssez-vous, Monsieur Desaï ?

– Vous haïr ? Le grand, le noble mot ! Oh non, s'esclaffe-t-il avec un rire qui sonne faux, je ne vous porte pas un sentiment aussi extrême, digne des héros tragiques. Soyons plus prosaïques. Vous me paraissez seulement inopportun et maladroit.

– Je vous dérange, poursuit Al sans tenir compte du sarcasme. J'interviens, je trouble vos relations avec Malika que vous aimez.

Desaï lève une main :

– Ceci est de trop. En outre c'est inexact. Ne vous mêlez pas de mes affaires.

Vous vous mêlez des miennes, puisque vous m'invitez à partir. Donc, vous aimez...

– Je lui porte une grande affection.

– Je ne parle pas d'affection, Monsieur Desaï, mais de tout autre chose. Je parle d'amour et de jalousie.

– Je serais donc jaloux de vous ?

– Pourquoi pas ?

– D'un homme qu'elle ne veut pas voir ?

– Telle est en réalité l'apparence. Mais vous êtes intelligent, Monsieur Desaï. Vous ne vous fiez pas aux apparences. Je vous inquiète.

– A vous entendre, Malika vous aimerait ?

– J'en suis sûr. Moi non plus, je ne me fie pas aux apparences.

Desaï affecte de le regarder pensivement :

– Vous êtes la victime d'un curieux phénomène d'autosuggestion. Sans doute est-ce l'effet de votre vanité. Que pouvez-vous apporter à Malika, dites-moi ? Vos trente cinq ans peut-être. C'est tout.

– Et vous, Monsieur Desaï, que pouvez-vous lui donner ? Vos cinquante cinq ans sans doute, et c'est tout.

Desaï a un rire grinçant :

– A supposer que la question se pose, et ce n'est pas le cas, je vous dirai que vous raisonnez comme un gamin. Pour une femme remarquable, et Malika l'est assurément, un homme ce n'est pas seulement la jeunesse. C'est une personnalité, une autorité, un art de vivre, une culture. Qu'avez-vous de tout cela, Monsieur Al ?

– Vous en parlez très bien, dit Al en hochant la tête.

Desaï se lève tout d'un coup :

– Suis-je autorisé à partir, Monsieur Al ? persifle-t-il. Ne trouvez-vous pas cette conversation inutile et oiseuse ?

Al acquiesce de la tête. Desaï lui tourne le dos sèchement et s'en va.

– Garçon ! Un whisky ! grogne Al.

Desaï ne sait pas, ne sait plus, pense-t-il. Voilà l'important. Il a perdu la trace de Malika et la cherche. Comme moi. Tout comme moi. Comme le juge. Je ne suis pas seul.

Dix heures du soir. Il n'a pas faim. Il se lève, va à la cabine téléphonique :

– Allô, Aziz ! Ne fais pas attention, j'ai bu. Je compte rentrer à Delhi. Tu seras là ? Non, rien de neuf. Le destin m'épargne encore, mais je suis toujours bredouille. A bientôt, vieux ! Ah, tu sais, la Kawa est une merveille !

A Delhi il mettra Vasudev Maharaj sur le grill et, si besoin, l'y retournera plusieurs fois.

Titubant, il monte dans sa chambre.

Il a dormi pesamment et quand il se réveille il ne parvient pas à rassembler ses esprits. Des visages l'entourent, voilés par une brume : le juge, Malika, Desaï, Aziz, la Begum, le maître de danse. Ils se donnent parfois la main comme s'ils voulaient danser une farandole ironique et se moquer de lui. Al voudrait les interpeller, mais dès qu'il entrouvre les lèvres, ils s'enfuient, rétractiles, s'enfoncent dans le brouillard, se dérobant à sa vue. La pensée s'insinue en lui qu'il a beaucoup à faire, une longue étape l'attend, il doit partir pour Delhi. Mais il n'a pas envie de se lever. On dirait qu'un lien invisible le retient, l'attache à Calcutta. Et il comprend qu'il ne veut pas s'en aller avant d'avoir revu le juge. Parce que se rendre à Barrackpore, bavarder avec lui, connaître cette autre maison, y dormir, c'est un peu retrouver Malika, vivre, dormir avec elle. Même si c'est désespéré et vain. Voilà, il y voit clair. Le juge l'attend à cinq heures. Il va passer cette dernière journée avec lui ; ensuite il prendra le chemin de Delhi.

Dès lors il s'ingénie à tuer le temps. Il n'en finit pas de faire sa toilette, s'éternise sur son petit déjeuner. Il descend au garage, vérifie la Kawasaki, l'admire, la caresse, la fait briller avec un chiffon. L'envie lui vient de franchir l'enceinte artificielle de l'hôtel, de marcher dans la ville. Il erre dans Chowringhee, prend une rue au hasard, une seconde, une troisième. La foule l'absorbe. Pour la première fois il ne réagit pas, ne se met pas en état d'alerte et de défense. Il se laisse emporter, dissoudre. Il n'est plus Al, il n'est plus lui-même, mais un dans la multitude, un tout petit parmi les autres également sans importance. Il s'assied sur une borne, ferme les yeux. La foule invisible n'est plus qu'une rumeur ; il est un souffle dans ce bruit. N'est-ce pas ainsi que l'on quitte le monde ? Une dernière clarté, le noir. Une ultime rumeur, le silence. Le souvenir s'abolit. Plus rien.

Je vais bientôt mourir, pense-t-il. Peu importe. Je ne regrette rien.

– Êtes-vous malade, Sahib ?

Il ouvre les yeux. Un homme trapu se tient devant lui, qui vient de descendre de bicyclette. Son visage ouvert, aux trait massifs, ses yeux bruns, expriment l'inquiétude.

– Non, dit Al, je ne suis pas malade. Je me reposais.

Rassuré, l'homme sourit :

– Vous ne devez pas rester ainsi au soleil, Sahib. Vous risquez d'attraper mal. Il faut bouger.

– Venez boire un verre avec moi, dit Al brusquement.

L'homme est surpris :

– Je n'ai pas le temps, Sahib. Je vais à mon travail.

– Juste cinq minutes. insiste Al. Et il y a quelque chose d'implorant dans sa voix.

– D'accord, Sahib.

Tout près se trouve une échoppe avec des boissons.

– Que voulez-vous ?

– Une tasse de thé, Sahib.

Ils boivent.

– Où travaillez-vous ?

– Au port. Je suis docker.

Non sans fierté l'homme ajoute :

– Contremaître.

– Vous avez une femme ?

– Et cinq enfants. Excusez moi, Sahib, je dois partir. Sinon je serai en retard. Merci, Sahib ! Ne restez pas au soleil, ce n'est pas bon pour les sahibs !

L'homme rit, monte sur sa bicyclette et entre dans la foule. Al le suit du regard jusqu'à ce qu'il ait disparu.

A nouveau il est seul.

Il déjeune entre ses deux colonnes antiques, les pieds dans la nappe damassée. Puis il dort un moment dans sa chambre. A quatre heures il est prêt. Il paye sa note d'hôtel et part pour Barrackpore.

Le juge a raison. Avec une carte c'est facile. On contourne la grande prairie, qui s'appelle le Maidan, on dépasse le champ de courses et on prend l'avenue qui file vers le nord-ouest. Il atteint le quartier résidentiel.

La maison de campagne du juge est imposante, plus majestueuse que celle de Ballygunge. C'est la classique demeure de style colonial à un étage, blanche, avec un péristyle sur le devant. Le portail est ouvert. Al traverse le jardin. Le juge est assis dans un fauteuil d'osier devant l'entrée. Il se lève, agite la main :

– Je vous attendais ! s'écrie-t-il avec un grand sourire. Venez !

Il l'introduit dans la maison. Al s'ébahit de la hauteur des plafonds, propice au mouvement de l'air, de l'ampleur des pièces qu'il traverse. Des tissus de soie — il ne sait pas qu'ils sont de l'Assam et du Bengale mais en apprécie la beauté — décorent les murs. Des livres. Encore des livres.

– Mon arrière grand-père a construit cette maison il y a plus d'un siècle, dit le juge. Nous l'avons jalousement gardée dans la famille. Je l'aime. Malika y est très attachée, elle aussi.

Ils débouchent dans la véranda ouverte qui occupe l'arrière de la demeure. Al ne peut réprimer une exclamation de surprise. Devant lui, au-delà d'une pelouse soigneusement entretenue, le fleuve Hoogly décrit une courbe. De tous côtés, des champs, des bosquets. Sur la rive opposée un petit temple trempe dans l'eau ses degrés de pierre. La campagne et le fleuve. C'est large, beau, calme, totalement reposant.

– Près de l'appontement il y a une barque. Si vous le souhaitez, vous pourrez aller sur le fleuve. Asseyons nous.

Aussitôt il lui parle de Malika.

– Mes fonctions de juge m'ont amené à résider dans plusieurs villes. Son enfance a donc été fragmentée, coupée de départs, d'habitudes rompues, d'amitiés espacées. J'ai tenu à compenser autant que je le pouvais en l'amenant ici, chaque année, pour ses vacances. Je tenais à lui donner un point fixe, des racines. Elle jouait dans le jardin, sur la rive. Je me suis beaucoup occupé d'elle, voyez-vous. Ma femme est morte peu après sa naissance. Soudainement. Je ne me suis pas remarié.

Le juge parle et, tout en l'écoutant, Al contemple la véranda, le jardin, le fleuve. Il lui semble qu'une petite fille va surgir en courant de la maison, ou d'un buisson, d'un repli de la berge, et qu'elle va se figer, interdite, en le voyant.

– Dans mon malheur la chance m'a souri, poursuit le juge. J'ai trouvé une ayah — c'est ainsi que nous appelons une nourrice — une femme de la campagne très remarquable, qui a pris soin d'elle comme de son propre enfant. Elle l'a élevée dans la tradition. Par la suite, j'ai veillé à ce qu'elle fasse des études modernes. A mon sens, les deux sont nécessaires et se complètent. Mais la vie n'est jamais telle qu'on l'attend. Je voyais Malika mariée, mère de plusieurs enfants, heureuse. Elle a choisi la danse. Oh, je vous avoue que j'ai tenté de m'y opposer. La danse, dans ma famille, ma propre fille ! Sans doute suis-je vieux jeu, déformé par ma propre éducation. Quoi qu'il en soit, j'ai dû céder. Malika est une personne très volontaire. Et puis j'ai compris que l'on ne fait pas le bonheur de son enfant ; c'est lui qui en décide par ses choix. A travers l'effort, les déceptions et les revers sans doute. En ce qui la concerne, Malika s'est imposée d'emblée. Son talent est extrême. Elle est devenue l'une des plus grandes danseuses de ce pays. Soit. Et, ironie du sort, c'est par la danse qu'elle est restée foncièrement fidèle à notre tradition indienne.

Je passe tous mes week-end ici, continue-t-il. Je lis. Je me recueille. Elle vient me voir. Quand elle a acheté une maison à Simla, j'ai craint qu'elle ne me délaisse. Cela n'a pas été le cas. J'approuve cette décision, à présent. L'air de la montagne lui convient. A Simla elle s'épanouit, reprend aussitôt des forces. J'y vais la voir parfois. C'est très beau. Mais je ne me sens nulle part chez moi comme ici. Je ne suis pas un homme de la montagne, mais du fleuve.

Le juge jette un regard sur la surface liquide et mouvante :

– Quand le moment sera venu, mes cendres seront immergées en cet endroit où moi-même, enfant, j'ai joué. Malika montera sur la barque, tenant l'urne funéraire, et la renversera dans cette eau sainte, car l'Hoogly est partie du Gange.

Il parle, il parle, le juge. Il conjure par le verbe l'absence de celle dont il ne peut se passer, la rend présente. Al écoute. Il apprend à mieux connaître celle qui le fuit. Ô dérision, à mieux l'aimer ! La raison voudrait qu'il s'en détache, qu'il la supprime et l'oublie. Et voilà que par l'intermédiaire du juge il fait revivre son enfance et son adolescence, comme s'il voulait se pénétrer d'elle au point de ne pouvoir plus s'en séparer. Il a rencontré une Malika adulte dont il ignorait le passé. C'est ce passé qui lui est donné maintenant par son père, afin que d'elle rien ne soit plus ignoré.

Et pourtant elle reste mystère, Al le sent avec une force dont il éprouve la cruauté. Le visage, le corps de Malika n'ont plus pour lui de secrets. Mais elle gardait son indépendance, sa liberté de décider. Il la croyait sienne à jamais. Un beau jour, dans le silence, sans mot dire, elle s'en est allée.

Les ombres du crépuscule s'étendent sur le fleuve. A l'occident le ciel se teinte de bleu sombre et de pourpre. Les oiseaux du jardin s'installent pour la nuit dans les arbres et commencent à se chamailler.

– J'aimerais prendre la barque, dit Al.

– Allez. Excusez-moi de ne pas vous accompagner. Ne partez pas trop longtemps. Nous allons bientôt dîner.

Le voici au milieu du fleuve. Autour de lui l'Hoogly étend sa coulée vermeille striée de reflets argentés. Malika s'est assise sur ce banc. Elle a tiré sur ces avirons. Son regard s'est posé sur ces masses de verdure sombres, sur ces feux du couchant, sur ce fleuve étincelant dont l'éclat lentement se ternit. Est-ce la barque dont parlait le juge ? Celle où Malika se tiendra droite, portant les cendres de son père qu'elle remettra à l'oubli ?

L'oubli, est-ce notre destinée ?

Il regagne la maison. Un domestique le mène à sa chambre. Il fait un brin de toilette et rejoint le juge à la salle à manger. Deux couverts sont mis à l'extrémité d'une grande table. Al n'a jamais vu autant d'argenterie. Des flambeaux les éclairent. Des pétales de rose parsèment la nappe. Devant eux il y a un bouquet de fleurs de jasmin. C'est le vieux serviteur de Ballygunge qui les sert.

Le dîner fini, ils reviennent dans la véranda où brûlent des photophores. La nuit est noire, le ciel criblé d'étoiles ; le fleuve chuchote et bruit.

– Lorsque vous parlez de tradition indienne, que voulez-vous dire ?

– Notre religion, nos coutumes, nos façons de vivre. Tout ce qui, malgré les particularismes, fait l'unité de l'Inde.

Quelle majesté, le juge, dans la lumière des photophores...

– Cette ayah qui a pris soin de Malika pendant son enfance, est-elle encore vivante ?

– Oui.

– Malika l'a-t-elle oubliée ?

– Oh que non ! Elle la tient pour sa seconde mère. Elle lui rend visite.

Al se raidit légèrement.

– Je voudrais la voir.

– Pourquoi donc ? s'étonne le juge.

– Vous me parlez de l'enfance de votre fille parce que vous savez que cela m'intéresse. Cette femme ne fait-elle pas partie de son enfance ?

– C'est vrai, reconnaît le juge. Mais elle n'est pas ici. Il y a une dizaine d'années, elle a décidé de repartir dans son village. Nous lui portons beaucoup d'affection, aussi avons-nous fait l'impossible pour la retenir. En pure perte. Elle nous aime, pourtant, et se considère de la famille. Le besoin de retrouver sa terre natale pour y terminer sa vie, sans doute... Je la comprends. Je lui écris régulièrement et lui sers une pension.

– Où habite-t-elle ?

– Du côté de Burdwan, au cœur du Bengale. Il ne vous sera pas facile de la trouver. Au fait, elle ne parle que bengali. Mais l'instituteur du village vous servira d'interprète. Si vous y tenez vraiment, je vous donnerai demain son adresse. Ainsi qu'une lettre pour elle. Sinon elle se méfierait. Elle est timide, peut s'enfermer dans le silence.

– Comment s'appelle-t-elle ?

– Manju.

Le juge s'est levé :

– Veuillez m'excuser, mon jeune ami. J'ai des habitudes de couche-tôt. Mais je me mets à mon travail dès l'aurore. Bonsoir. Passez une bonne nuit.

Immobile, Al écoute le murmure du fleuve. Longtemps. Très longtemps. Ce murmure, c'est comme une voix qui parle. Le fleuve lui dit quelque chose, il en est sûr. Mais il est incapable de le comprendre. Il se sent lourd, obtus. L'a-t-il toujours été ?

Il est triste et las. A quoi bon faire revivre le passé d'une petite fille qui est une femme à présent et ne veut plus l'aimer. Il eût mieux fait de ne pas venir à Barrackpore et de ne pas se donner une nouvelle occasion de souffrir. Il regarde à nouveau le ciel, le fleuve, les photophores, le siège où le juge était assis, puis quitte la véranda qui ressemble à une scène désertée. Il regagne sa chambre et s'endort d'un sommeil accablé.

Est-ce l'effet de la lumière, du soleil, des oiseaux qui chantent dans le jardin ? Le lendemain, pourtant, à son réveil, l'espoir l'habite encore. Il lui reste une dernière chance. N'est-il pas dans sa nature de jouer ses cartes jusqu'au bout ? Il va voir cette femme, l'interroger. Qui sait, ne lui apprendra-t-elle pas quelque chose ? Oui, il va la voir. Il se le doit à lui-même. Mieux, il le doit à Malika. A Malika ? Oui, c'est inexplicable mais c'est ainsi. Il a le sentiment très fort que Malika elle-même lui demande, lui ordonne d'aller la voir.

– Vous le voulez vraiment ? demande à nouveau le juge.

– Oui. D'ailleurs je n'ai pas le choix.

Ceci a été dit sèchement. Le juge l'observe en silence.

– Voici donc l'adresse et la lettre. Et cette carte où j'ai indiqué le trajet. Jusqu'à Burdwan vous n'aurez pas de problèmes. Ensuite les chemins seront difficiles.

– Au revoir et merci.

– Au revoir.

Ils sont émus. Ils pensent ne se revoir jamais.

– Adieu, dit le juge. Vous êtes jeune encore. La vie est devant vous. Mais souvenez-vous qu'elle est courte.

Il ajoute avec un frémissement dans la voix :

– Si vous obtenez des nouvelles de Malika, vous m'avertissez, n'est-ce pas ?

Al démarre. Debout sur le perron, le juge le suit du regard. Cette fois, Al prend soin de ne pas se retourner.

La seule difficulté qu'il rencontre jusqu'à Burdwan est l'encombrement des routes. Les campagnes d'alentour y déversent leurs théories de chars à bœufs, de carrioles, leurs files interminables de paysans qui se rendent dieu sait où. De temps en temps surgit un tracteur dont le conducteur se protège du soleil par un carré de toile tendu au-dessus de sa tête. Al navigue dans ces cohues, s'arrête, repart. Il lui faut trois heures pour atteindre Burdwan. Il s'accorde un temps de repos sous l'auvent d'une boutique où il absorbe un litre de thé, fait le plein d'essence, reprend la route. D'après la carte du juge, Rayna, le village de Manju, est situé à une trentaine de kilomètres au nord-ouest de la ville. Al parcourt encore quelques kilomètres de route goudronnée, puis tourne à gauche, prend une piste de terre. Un truc d'enfer ! Lors des pluies de mousson les chars à bœufs ont entaillé le sol de profondes ornières que le soleil a ensuite durcies. Il doit veiller à ne pas y engager ses roues car la Stinger, très basse comme toutes les motos de sport, raclerait la piste de terre et de cailloux. Il regrette alors de ne pas avoir emprunté à Aziz une moto tout terrain plus haute et plus robuste, la Ténéré par exemple, mais pouvait-il prévoir ? Il réduit donc au maximum sa vitesse et s'applique à passer entre les ornières. Mais celles-ci, souvent, s'entrecroisent et se brouillent. Il met alors pied à terre et pousse l'engin. Ainsi avance-t-il pendant plusieurs heures, presque au pas, c'est désespérant, dans une solitude qui n'est rompue que par quelques charrettes à bœufs de rencontre. De temps à autre, un village où il s'informe : Rayna, c'est par là ? Oui ! Non ! On s'explique avec des gestes. Il s'égare, rebrousse chemin. A cinq heures du soir il arrive à Rayna.

C'est un village comme les autres avec ses maisons aux murs de boue séchée, sa mare, ses buffles, ses bosquets de bambous et de bananiers. Au centre, le puits et un bâtiment en dur. Al avise un homme : School ? interroge-t-il en désignant le bâtiment. Désarroi du paysan auquel il s'adresse. On se rassemble. Que demande le Sahib ? Que veut-il ? La porte du bâtiment s'ouvre. Un jeune homme paraît sur le seuil. Al va vers lui :

– Êtes-vous le maître d'école ?

– Oui.

– Je voudrais voir Manju, dit Al. Et il lui tend la lettre.

L'instituteur s'en saisit, vérifie le nom et l'adresse, sourit.

– Venez, dit-il.

Tout en marchant il ajoute :

– Décidément, Manju reçoit beaucoup de visites.

– Comment cela ?

– Il y a trois jours la célèbre Malika est venue. La grande danseuse. Vous connaissez ?

Al ravale sa salive.

– Il y a trois jours ? Vous êtes sûr ?

– Oui. Mardi dernier.

– Est-elle restée longtemps ?

– Deux ou trois heures. Je ne sais pas exactement. Suivez-moi.

Ils passent entre deux maisons, enfilent une ruelle, tournent sur la droite. L'instituteur s'arrête devant une chaumière plus modeste encore que les autres.

– Manju ! appelle-t-il.

Une femme sort de la chaumière. Elle est âgée, mais paraît encore belle. Grande, maigre, elle porte un sari violet. Ses cheveux blancs sont lissés avec soin. En voyant Al, elle a un geste de recul.

L'instituteur lui parle en bengali. Visiblement il la rassure. Il lui montre la lettre, lui propose de la lui lire. Manju regarde Al, puis approuve de la tête. L'instituteur ouvre l'enveloppe, commence sa lecture. La lettre du juge est en bengali et Al n'y comprend goutte. Mais il ne peut manquer d'observer que son contenu produit sur Manju un effet extraordinaire. Elle se tasse, se recroqueville, ses mains se nouent dans un geste d'angoisse, des larmes jaillissent de ses yeux et ruissellent sur ses joues.

– Que dit la lettre ? s'exclame Al.

L'instituteur le dévisage, puis contemple Manju, stupéfait.

– Que vous êtes un ami de Malika. Que vous la recherchez. Que le juge et vous-même ne savez pas où elle est.

– C'est tout ?

– Pour l'essentiel, oui.

– Je voudrais lui poser une question, dit Al.

– Faites.

– Demandez lui où est Malika.

L'instituteur traduit.

Manju se prend la tête dans les mains, tire sur ses cheveux, regarde Al à nouveau et, après une lutte intérieure aussi brève que terrible, s'écrie d'une voix stridente :

– Bénarès ! Bénarès !

Elle pivote aussitôt sur elle-même et s'enfuit dans la ruelle. Cinq secondes et les deux hommes ne la voient plus.

– Elle paraît terrorisée, ou désespérée, dit l'instituteur qui n'en revient pas de sa surprise. Il est inutile de la rejoindre. Elle doit se cacher dans les champs. Je la connais. Elle ne parlera plus.

– Je ne comprends pas, dit Al. Je voudrais l'interroger encore.

– Non, non, c'est impossible, je vous assure ! réplique l'instituteur qui s'énerve. Quelque chose a dû se passer, que nous ignorons. Il ne faut pas la brusquer. Elle est bonne, Manju, mais timide et rétive. Si elle s'est enfuie, c'est qu'elle ne supportait plus de vous voir.

– Pourquoi ?

– Je n'en sais rien !

– Vit-elle seule ici ?

– Elle a de la famille. Un frère, sa femme et leurs enfants. Elle leur est très attachée. Elle travaille pour eux, les aide, leur donne, si besoin, de l'argent. Nous l'aimons et la respectons. En tout cas, elle vous a répondu.

– Oui. Bénarès... Mais, Bénarès, c'est une grande ville.

– En effet. Et notre grande ville sainte.

– C'est pourquoi j'aimerais lui demander...

– N'insistez pas, Monsieur, coupe l'instituteur de façon péremptoire. En ce qui me concerne, je n'accepterais plus de vous aider. Cette femme est bouleversée. Laissons la tranquille. Oui, c'est la bonté même, Manju. J'en suis sûr, elle a fait pour vous tout ce qu'elle pouvait.

– Soit, dit Al, découragé. Eh bien, je n'ai plus qu'à m'en aller.

L'instituteur s'est radouci :

– Restez donc ici pour vous reposer. Les pistes sont défoncées jusqu'à Burdwan. Acceptez ma modeste hospitalité. Demain vous serez dispos.

– Non, dit Al. Je vous remercie, mais mon temps est compté. En partant maintenant je serai à Burdwan avant la nuit. Merci encore. Je regrette de vous avoir dérangé.

Ils regagnent la place où se trouve la Kawasaki. En passant devant le puits, Al n'y tient plus. Il saisit son casque, le remplit d'eau et le renverse sur sa tête. Les paysans s'esclaffent. Il le remplit à nouveau et, longuement, se rafraîchit.

Un salut de la main. Il s'en va. L'instituteur se frotte le menton, intrigué.

Il a bien fait de venir, il ne repart pas bredouille. Il sait que Malika est venue voir Manju. Il a rencontré celle-ci. Troublée, affolée. Pourquoi ? Il a obtenu d'elle cette indication à la fois précise et vague : Bénarès. D'après cette femme Malika est à Bénarès. Il ne lui reste plus qu'à s'y rendre.

C'est étrange tout de même, chaque fois qu'il désespère de retrouver la trace de Malika, un petit rien lui est donné qui lui permet de reprendre sa quête. Comme si c'était un jeu... Une relance délibérée et constante... Ou comme si le destin le voulait... Ne défie pas le destin ! lui répète Aziz. Mais il se trompe, Aziz. Le destin ne lui interdit pas de rechercher Malika, bien au contraire il l'y engage, l'y force presque !

Il va aller à Bénarès. Et là, peut-être, à nouveau...

Que fait Malika à Bénarès ?

Encore ces pistes pourries ! Encore ce truc d'enfer ! Encore cette progression lente, irritante, exaspérante ! Et le souci lancinant de ne pas abîmer le carénage de la Stinger !

La nuit tombe quand il arrive à Burdwan. Les ampoules de l'avenue principale s'allument, des gens s'étendent sur les trottoirs pour y dormir. Il roule lentement, à la recherche d'un hôtel dont il sait déjà qu'il sera minable. Tant pis, il n'a pas le choix, et il est fourbu. Boire, manger, dormir, c'est tout ce qu'il demande. En voici un. Il enchaîne sa moto, entre dans l'établissement qui sent l'huile rance. On lui donne la seule chambre qui soit libre. Elle est petite, étouffante ; les pièces voisines résonnent des beuglements des radios. Il jette sa mallette sur le lit de sangles, son premier réflexe est de s'étendre, il a les reins moulus, mais il ne pourra résister au sommeil et cela lui répugne de garder sur lui la poussière et la crasse de la route. Il descend à la salle d'eau commune, se déshabille et s'asperge de plusieurs seaux d'eau. Cela le revigore. Il a faim. Non loin de l'hôtel, dans une impasse, il déniche un restaurant aux lumières de néon aveuglantes, à se mettre des lunettes de soleil sur le nez. C'est, bien sûr, un restaurant végétarien. Il commande du lait, du riz, de la purée de lentilles, mange à satiété.

Demain matin il téléphonera à Aziz pour lui demander d'envoyer de l'argent à Bénarès. Bénarès, est-ce sa dernière chance ? Y trouvera-t-il Malika ? Comment va-t-il s'y prendre ? Ça, il ne doit pas y penser pour l'instant. Il improvisera, verra sur place. Le hasard peut-être l'aidera. Jusqu'à présent il a somme toute réussi à la suivre à distance. Avec quelques jours de retard chaque fois, mais quand même. Un jour, à Bénarès peut-être, pourquoi pas, leurs pas se rejoindront, il la verra. Elle sera là, devant lui, sans échappatoire, et il faudra bien qu'elle accepte de parler. Qu'elle s'explique. Pourquoi se cache-t-elle ? Pourquoi le fuit-elle ? Lui et les autres, son père, Desaï ? Les autres, il s'en fout. Ce qu'il veut, c'est qu'elle lui dise en face qu'elle ne veut plus de lui et pourquoi.

La réaction extraordinaire de Manju le trouble. Le premier regard qu'elle a posé sur lui, déjà, n'était pas indifférent. On aurait dit qu'elle le reconnaissait, qu'elle devinait qui il était, et cela sans jamais l'avoir rencontré. Malika lui aurait-elle parlé de lui ? Et soudain, quand la lettre lui a confirmé que c'était bien lui, cette émotion incontrôlable, ces pleurs, ces mains crispées, tordues... Comme si Malika lui avait tenu à son sujet des propos terribles que sa seule vue avait aussitôt évoqués. Et ce tremblement devant la question : où est-elle ? Cette réponse — un seul mot : Bénarès — jetée, crachée, arrachée à elle-même, à ses entrailles ; cette fuite de bête blessée, aux abois.

Qu'a pu lui dire Malika ?

Ses paupières se ferment. Il tombe de sommeil. Lourdement il se lève, s'achemine vers l'hôtel. A distance, devant la porte, il aperçoit un groupe. Oui, ce sont des jeunes gens qui admirent la Kawasaki. Mais... mais... que font-ils ? L'un d'eux s'acharne sur la chaîne. Al distingue le crissement d'une scie à métaux. On vole la Stinger !

Il fonce. Les jeunes gens se retournent. Il en bouscule deux qui vont rouler par terre. Un troisième l'affronte. Al lui assène un coup de poing formidable sur le nez. Le sang gicle. Un quatrième surgit devant lui. Il lui envoie un coup de pied dans le bas ventre et, quand il se baisse en criant de douleur, relève brusquement le genou. Il entend les dents claquer. A ce moment il devine un mouvement sur sa gauche. A peine a-t-il le temps de pivoter et d'entrevoir la trajectoire menaçante d'un lourd bâton. Sa tête résonne comme un tambour. Il lui semble qu'elle éclate et il s'effondre, assommé.

Il ouvre les yeux, les referme aussitôt sous l'effet de la douleur fulgurante qui lui traverse le crâne.

Beaucoup plus tard il les ouvre à nouveau. Ce n'est plus la même souffrance intolérable. Plutôt une migraine qui lui étreint tout le cerveau.

Où est-il ? Il ne connaît pas cette chambre blanche, ce lit étroit, cette moustiquaire bien pliée et ce ventilateur qui vrombit au plafond.

Il ne connaît pas ces deux hommes à son chevet, dont le regard le surveille. Le premier, aux sourcils très noirs, au nez aquilin, est vêtu d'une blouse blanche. Le second, trapu et corpulent, porte l'uniforme brun de la police. Il a des galons aux épaules. Un gradé.

– Ne vous inquiétez pas, dit aussitôt le médecin. Vous êtes à l'hôpital de Burdwan, à trois cents mètres de votre hôtel. Tout va bien. Mais vous l'avez échappé belle. Il n'y a pas de traumatisme crânien.

Al se souvient tout d'un coup. Les jeunes gens, la bagarre, le bâton qui vise sa tête, ce bruit assourdissant dans son crâne, cette sensation indescriptible de voler en éclats, de se désintégrer. Il gémit.

– La mo-to... articule-t-il.

L'officier de police se met à rire :

– Vous l'aurez bientôt, votre moto, Sir. Elle est belle et presque neuve, n'est-ce pas ?

Al approuve d'un battement de cils.

– Une Kawasaki ? J'ai toujours rêvé d'en avoir une. Il y en a très peu au Bengale. Ces imbéciles n'ont pas compris qu'ils seront fatalement repérés. Je leur donne quarante huit heures. Nous les mettrons bientôt sous les verrous.

Il hoche la tête :

– Ça va leur coûter cher. Les témoins disent qu'après le premier coup de lathi...

– Le lathi, explique le médecin, c'est un bâton long et lourd. Une matraque. Une arme redoutable. La police s'en sert aussi.

– Après le premier coup, reprend l'officier, ces gundas, ces truands, vous en ont porté deux autres, à la tête. De quoi vous tuer.

– Vous avez le crâne solide et de la chance, intervient à nouveau le médecin. Dans vingt quatre heures vous pourrez vous lever.

– Vingt quatre heures, ce n'est pas possible, dit Al d'une voix altérée. On m'attend à Bénarès.

– Nous voulons être certains qu'il n'y aura ni complications ni séquelles. D'ailleurs vous seriez incapable de marcher. Maintenant vous allez dormir. Je vais vous faire une piqûre.

– Non !

– S'il vous plaît.

Al a beau ne pas le vouloir, voilà qui est fait. Entre une infirmière qui parle à l'oreille du médecin.

– Une urgence, maugrée celui-ci. Encore deux camionneurs qui se sont heurtés de plein fouet ! Vous savez comment ça se passe. On tient le milieu de la route, on ne veut pas le lâcher. La même chose pour celui qui vient à l'opposé. Alors on se frôle à cinq centimètres. Ou on se rentre dedans ! Excusez-moi !

L'officier s'est levé, lui aussi :

– Pour la moto je vous tiendrai au courant. Quand vous serez mieux, je viendrai enregistrer votre déclaration. A bientôt, Monsieur. Portez-vous bien !

Il salue militairement et s'en va.

La piqûre agit. Malgré tous ses efforts ses idées se brouillent, ses yeux se ferment, le sommeil l'envahit comme une bienfaisante marée. Malika, pense-t-il. Malika, Bénarès. Kawasaki... Sa tête tombe de côté.

Al a dû dormir douze heures. Quand il s'est réveillé, sa première pensée a été : Bénarès, je perds du temps ; et si Malika l'a déjà quittée ? Du coup il s'est levé. Il tenait bien sur ses jambes, mais il se sentait cotonneux, embrumé, du fait de la piqûre sans doute. Il a passé sa main sur son crâne et tâté trois bosses à peine douloureuses. Il ne souffrait plus.

La petite infirmière bengalie est arrivée et lui a souri.

– La moto ? a-t-il demandé.

– On l'a retrouvée, Monsieur. Je vais avertir le docteur que vous êtes réveillé. Avez-vous faim ?

– Oui.

On lui a servi du porridge avec du lait, des œufs brouillés, des toasts et de la marmelade d'orange. Ces gens sont aux petits soins pour lui. Ça les flatte et les amuse d'avoir un Sahib parmi leurs malades. Et puis ils ont à cœur de lui prouver qu'à Burdwan il n'y a pas que des gredins. On y trouve aussi d'honnêtes gens qui font bien leur métier. Le médecin lui a palpé le crâne. Tout va bien, a-t-il dit, je vous libère ! Si vous avez encore la migraine, prenez ceci, mettez vos lunettes de soleil ; évitez la lumière aveuglante. Il est inutile de souffrir pour rien. L'officier de police est venu peu après. Il exultait :

– Je vous l'avais dit ! On les a attrapés aussitôt. Quand ils sont rentrés dans leur village, ils ont eu beau prendre des précautions et se cacher, on les a vus avec la moto. Nous avons des informateurs partout. Elle est intacte, Monsieur, votre moto. Pas une éraflure, pas une bosse. Les bosses, excusez moi, c'est vous qui les avez !

Il a éclaté de rire, puis a recueilli sa déposition.

– Ça va leur coûter dix ans de tôle ! Signez moi ce papier pour porter plainte, Monsieur.

Al l'a regardé, songeur. Il s'est rappelé son adolescence, sa fascination pour les motos. Il est passé par là, lui aussi. Aurait-il résisté à une magnifique Kawasaki ? Il a trafiqué, volé. Il n'a tué personne. Mais, s'il avait été pris en flagrant délit, qu'aurait-il fait ? N'a-t-il pas assommé ce gardien de château près d'Ormesson ?

Non, a-t-il dit. Je ne porte pas plainte.

L'officier s'est récrié. Il ne pouvait comprendre. Il lui a reproché de gâcher le métier et d'encourager les voyous.

– Ils ont voulu vous tuer !

– Ils voulaient surtout la moto.

Al a tenu bon. L'officier est reparti, furieux.

– Soit ! On va les relâcher ! Mais d'abord on va les inviter à faire un petit tour de danse. Et ça, Monsieur, vous ne pourrez pas l'empêcher ! C'est pour nous payer de notre peine. Et leur apprendre à vivre !

Al a fait sa toilette, remercié le médecin et le personnel. La Stinger l'attendait dans la cour de l'hôpital, propre comme un sou neuf, impeccable ; les policiers l'avaient certainement nettoyée et astiquée. Il a fait tourner le moteur, passé les vitesses. Rien à dire. Avant de partir il a téléphoné à Aziz.

– C'est moi, Al !

– Où es-tu ?

– Au Bengale, à Burdwan.

– A Burdwan ? Qu'est-ce que...

– On va se revoir. Je pars pour Bénarès. De là je file sur Delhi.

– Bénarès ? Tu t'es converti à l'hindouisme ?

– N'essaie pas d'être drôle. Malika est à Bénarès.

– Tu vas la voir ?

– J'espère. Il faut que je la trouve.

– Tu ne sais donc pas où... Eh bien, je te souhaite bonne chance ! Il y a 600 000 habitants à Bénarès, mon petit vieux. Plus les pèlerins. Bon courage !

– On m'a volé la moto.

(Respiration bloquée d'Aziz à l'appareil.)

– Mais la police l'a retrouvée. En parfait état.

– Ouf ! Qui a fait ça ?

– Des jeunes gens. On les a coincés. Ils... Ils m'ont assommé avec un lathi.

– Quoi !

– Mais ça va très bien. Plus de peur que de mal. Je reprends la route.

– Al ? Tu m'entends ?

– Oui.

– Tu n'as pas compris ? Tu ne vois pas que ce qui vient de t'arriver, c'est la première leçon, le premier coup — je dis bien le coup — du destin ! La semonce !

– Aziz, ne recommence pas...

– Bon, bon. Tu es aveugle. Incorrigible. Passons. Tu veux de l'argent ?

Al rit :

– Tu devines tout.

– Je t'en envoie à Bénarès. Mais rapplique ici, je t'en prie. Je ne serai tranquille que lorsque je t'aurai sous mes yeux, chez moi, sous ma surveillance. Et encore ! Irresponsable, va ! Salut !

– Salut !

Il a serré une seconde fois la main du médecin et pris la route. Il en a au moins pour deux jours de trajet. D'abord il va piquer vers le sud pour rejoindre la Grand Trunk Road et ensuite il filera vers l'ouest, toujours vers l'ouest. Jusqu'à Bénarès.

Malika y sera-t-elle encore !

Cette autre tentative pour la rejoindre est tellement aléatoire qu'elle peut sembler désespérée. Mais il ne veut pas en tenir compte. Manju lui a tendu un brin de paille, mais avec tant de violence qu'il n'a pas pu ne pas le saisir. On ne refuse pas ce qui vous est donné comme malgré soi, sous le coup d'une nécessité supérieure. Pourquoi ce tremblement, ce désespoir de Manju ?

Le saura-t-il jamais ? Il sent qu'il joue l'une de ses dernières cartes, peut-être l'ultime. Alors, il ne faut pas hésiter, ergoter, faseyer. On y va et à fond !

Après ? Il verra bien. Bénarès, pour lui, c'est un voile noir tendu sur l'avenir. Celui-ci est mystère. Il va à Bénarès pour écarter ce voile et découvrir la vérité, quelle qu'elle soit.

Oui, quelle qu'elle soit...

Sa main droite lui fait mal. Il l'ouvre et la ferme en se demandant s'il ne s'est pas rompu un ligament quand il a boxé ce garçon. Cela l'inquiète. Un guitariste doit avoir des mains libres et souples. La guitare, il y a longtemps qu'il n'en a pas joué. En fait, depuis le départ de Malika. Comme si, en s'en allant, elle avait tari la source de toute musique. En rejouera-t-il jamais ? La réponse se trouve aussi derrière le rideau noir qu'il va tirer. Oui, dans deux jours il va le tirer. Et sans frémir. Avec fermeté. Car, s'il est un homme désespéré, il est aussi un homme fort.

Il a tant travaillé la guitare. Il lui a tant donné. Elle était sa nouvelle vie. Il continuait à étudier avec ses maîtres, jouait dans des clubs de jazz et, pour assurer la matérielle, chez les limonadiers, dans les piano bars. Ça, c'était lugubre et sordide. Le bruit des conversations, les chocs des verres et de la vaisselle anéantissaient la musique, pire, la tournaient en dérision. Il fallait se faire une carapace pour se protéger, dominer son dégoût, s'abstraire. Des travaux forcés humiliants. Et puis son tour de chance était venu. Une nuit, il était allé au club Le Petit Opportun, rue Sainte Opportune, pour y écouter un de ses amis guitaristes. L'heure était tardive, il venait lui-même de jouer dans un club et il avait sa guitare sous le bras. L'ambiance était décontractée, chaleureuse. Au dernier set les musiciens avaient proposé un "bœuf". Al avait joué avec eux "Round about midnight". Il se sentait bien, en grande forme, avec plein de soleil dans la tête. Il avait été superbe et on l'avait beaucoup applaudi.

Dans la salle se trouvaient trois musiciens du groupe de musique fusion Surya : Jack Andrews, le fameux saxophoniste créateur du groupe ; un Indien, prodigieux joueur de tabla, qui s'appelait Aziz ; et un Américain, le percussionniste. Ils étaient en tournée en France et, leur concert terminé, venaient se détendre au Petit Opportun. Après le "bœuf", ils avaient parlé aux musiciens et Al s'était retrouvé à leur table. Justement Jack Andrews était à la recherche d'un guitariste, car si le sien était génial, il avait un caractère infernal et leur rendait la vie impossible ; il venait de rompre avec lui. Ils avaient bavardé. Soudain Jack lui avait posé la main sur le bras : il y a une place pour toi dans le groupe. Viens donc avec nous. On repart après-demain pour Londres.

Il était fou de joie. Faire partie de Surya, ce groupe célèbre qui faisait alors des ravages, c'était inespéré, c'était formidable, ça ne pouvait se refuser. Évidemment, il y avait Béatrice. Elle lui avait fait une scène terrible : tu ne seras jamais plus là ! Tu rencontreras d'autres femmes ! Tu en as assez de moi ! Et de piquer une crise de nerfs. Il avait protesté, promis de revenir entre deux concerts, à la moindre occasion, et si c'était vraiment un succès, si ça marchait très fort, de l'installer à Londres. Il était sincère, absolument ; il disait ce qu'il pensait. Il tenait tant à elle.

Ç'avait été la folie. Il y avait les répétitions, les studios d'enregistrement, les concerts, les tournées. Surya voguait à pleines voiles sur la crête du succès. On les voulait partout. Ils allaient de New-York à Tokyo, de Stockholm à Madrid, passaient de voiture en avion et d'avion en voiture. Il y avait aussi les grands festivals de jazz de Nice, d'Antibes, de Montreux, pour ne parler que de l'Europe, où il fallait être présent. Al retrouvait, comme au temps de la moto, les publics frémissants qui se lèvent pour acclamer, les foules en délire.

Avec Béatrice tout allait pour le mieux. Il gagnait de l'argent, lui en donnait beaucoup. Il allait à Paris, elle venait à Londres. Elle aimait cette vie de luxe et de liberté. Lui, il était fou d'elle. Fou de la faire jouir et de la combler de présents.

Il s'était lié d'amitié avec Aziz, qu'il admirait. Il ne se lassait pas de l'écouter, d'observer les mains enchantées, magiques, qui faisaient jaillir des tambours crépitants le rythme souverain. Ils se comprenaient. Tous deux aimaient la musique et les femmes. Et la moto. Alors, quand ils le pouvaient, ils sautaient sur leurs engins, et quittant Londres et ses banlieues allaient se défoncer sur les routes du Berkshire ou du Surrey. Mais Al veillait à tenir la moto en lisière. Ce n'était plus pour lui qu'un plaisir, une amusette. Seule comptait la musique.

Il en était d'ailleurs de même pour Aziz.

Jack Andrews, cependant, devenait nerveux. Il était moins présent, moins prompt à saisir les occasions de concerts et de tournées. Il se rongeait les sangs. Un jour, il avait éclaté : On se répète, les enfants. On ressasse ! On n'invente plus ! Moi, en tout cas, je ne crée plus ! J'en crève. Ça ne peut pas durer ! C'est fini ! Il faut dynamiter la baraque ! Et il avait dissous le groupe Surya pour tenter une nouvelle aventure musicale.

Ç'avait été un coup de tonnerre. Et puis, tout s'était bien passé. Jack était parti quelque part, en Amérique, en Afrique, en Asie, on ne savait, en quête d'une inspiration nouvelle, et ses musiciens, connus et appréciés, avaient poursuivi sans difficultés leur carrière. En fait, on les réclamait, les portes s'ouvraient devant eux. Al avait joué dans d'autres formations ; il était rentré à Paris. Mais une idée germait dans sa tête : je vais créer mon propre groupe. C'est moi qui dirigerai désormais.

Sur la Grand Trunk Road il a conduit vite. Le soir, il a atteint les collines boisées et le dak bungalow où le collecteur d'impôts l'avait invité à dîner. Le gardien l'a reconnu et il y a passé la nuit, seul, dans le silence. Il était fatigué, la migraine le menaçait, mais le médicament donné par le médecin a été efficace. Levé tôt le lendemain, il a retrouvé la grande plaine, ses champs torrides et ses colonnes de poussière. En fin d'après-midi il a croisé sur sa gauche le village de ses amis paysans. Il a hésité. S'arrêtera-t-il ? Oui. Ils l'ont accueilli à bras ouverts, lui ont servi le lait, la galette et le beurre. Assis sur un talus, il s'est reposé à regarder le soleil mourir dans les champs. Il a dormi près d'eux, dans la maison de boue séchée. A l'aube il est reparti. A quatre heures de l'après-midi il est arrivé à Bénarès.

D'abord il a vu des faubourgs aérés, avec de vastes bâtiments dont il se demandait si s'étaient des résidences privées, des administrations ou des institutions religieuses. Puis la ville s'est resserrée, les rues sont devenues étroites, souvent des venelles où la Kawasaki pouvait juste passer. La foule se faisant de plus en plus dense, il a enchaîné sa moto à un pylône de fer devant un poste de police et a poursuivi à pied. Il a débouché sur le Gange et s'est arrêté, stupéfait.

Des escaliers de pierre descendaient jusqu'au fleuve et là, sur ces marches, sur les plates-formes des temples dont certains étaient à moitié immergés, dans l'eau même, grouillait une humanité innombrable. Là, devant lui, et de chaque côté aussi loin que le regard portait, des gens parlaient, méditaient, riaient, priaient, se baignaient, procédaient à des ablutions rituelles. C'était le pèlerinage et la foire, l'antichambre de l'absolu et le bouillonnement de la vie. Une impression d'immense naturel, de parfaite liberté, se dégageait de cette scène où chacun agissait, était lui-même, sans se préoccuper du voisin. Des familles discutaient ou prenaient leur repas à l'abri d'un grand parasol de paille, des femmes sur la rive du fleuve tordaient leur tresse et leur sari ruisselants ; assis en tailleur sur un bout de marche, des sages s'extrayaient du temps et de l'espace et s'abîmaient dans leur vision. Des enfants nus couraient sur les quais. De temps à autre la cloche d'un temple égrenait ses coups stridents.

Al s'assied, lui aussi, sur une marche. Il regarde.

C'est l'Inde religieuse que jusqu'à présent il n'a fait qu'entrevoir. C'est la tradition hindoue dont a parlé le juge. Un monde qui lui est étranger, inconnu, auquel il n'appartiendra jamais.

Malika est peut-être là, dans cette foule. En ce moment précis, elle est peut-être là, se baignant quelque part dans le fleuve ? Mais alors...

Et subitement Bénarès, dans son étrangeté, dans son énormité, sa vétusté millénaire, Bénarès qui l'enserre et qui l'étouffe, l'interpelle : Que crois-tu, pauvre avorton ? Qu'oses-tu penser ? Imagines-tu que Malika puisse être tienne ? Regarde. Elle est à moi. Et c'est pour moi que sans un seul regret elle t'a quitté !

Il baisse la tête, accablé, car il croit comprendre, dans une révélation bouleversante, pourquoi Malika lui échappe à jamais. Oui, c'est Bénarès qui donne la réponse. Malika est indienne, il le sait, il l'a toujours su. Mais il n'avait pas réalisé, même en découvrant son pays, même en écoutant son père lui parler de son enfance, qu'elle appartenait à un monde auquel il n'avait pas accès. Il ne la voyait que par rapport à lui-même. Elle était pour lui le geste sauveur, l'amour fou, le bonheur présent et à venir. Il s'aperçoit maintenant que tout son être, toute sa vie, sont indissolublement liés à cette multitude, à ce spectacle qu'il a sous les yeux. A ce monde qu'il ne peut comprendre et qui l'exclût. Elle est de cela. Elle est cela. Il ne l'est pas.

Elle l'a délaissé parce que l'appelait une voix plus puissante que la sienne, la voix de cette foule qu'elle avait besoin de rejoindre pour s'y perdre afin de s'y retrouver. Elle a pu le quitter parce qu'il ne lui était pas nécessaire. Elle l'abandonne pour les siens dont elle sait qu'il ne sera jamais.

Al gémit et serre les poings.

Est-ce le mot final ? S'est-il acharné à la retrouver, a-t-il peiné sur ces routes interminables, est-il passé par tous ces espoirs, ces désespoirs, pour découvrir cette vérité ? Est-il venu à Bénarès pour simplement apprendre qu'elle ne serait jamais à lui parce qu'elle appartient à l'Inde ?

Non ! Non ! Il se rebiffe. Bénarès l'impressionne et le trompe. Il ne capitulera pas du fait d'une vague émotion. En lui demeure sa certitude d'homme. Malika s'est donnée sans réserve. Qu'elle soit indienne ne saurait l'empêcher de l'aimer.

Mais il ne parvient toujours pas à comprendre. La ronde des lancinants pourquoi ? tourne dans sa tête. Pourquoi ce départ soudain ? Cette volonté de le fuir ? De se cacher des autres ? Pourquoi l'affolement de Manju ? Pourquoi Bénarès ?

C'est à cette dernière question qu'il lui faut maintenant répondre.

Il se relève et s'éloigne de la foule. Par les rues sales et tortueuses il s'en va, à la recherche de sa moto. Non sans mal il la retrouve. Corvée presque quotidienne, il doit maintenant choisir un hôtel pour y passer la nuit. Celui-ci suffira, qui n'est pas trop lamentable. Il n'a plus que vingt roupies en poche. Demain matin il ira à la Poste en espérant qu'Aziz aura envoyé l'argent.

Il dîne de galettes de blé et de lait dans une échoppe végétarienne ; il n'a pas faim. Puis il se rend au Gange. La nuit tombe. Le fleuve est d'un bleu cendré. Dans l'obscurité grandissante paraissent les premières étoiles. Une lune rousse, presque pleine, éclaire l'autre rive du Gange, celle qui est déserte. Al se demande pourquoi elle est déserte. Il ne sait pas. Il ne sait rien... La foule s'est égayée. Par petits groupes ils sont partis vers leurs campements, leurs abris, leurs ashrams, leurs hospices. Mais de nombreux pèlerins restent là, allongés sur les degrés de pierre, immobiles, endormis déjà, enveloppés dans une étoffe qui les moule comme un linceul. Ils n'ont pas où aller, à moins qu'ils préfèrent ne pas s'écarter du fleuve pour être prêts, quand le soleil levant éclairera ses eaux blanches, à procéder aux premières ablutions.

Al erre sur la rive, parmi les temples. En contrebas des bûchers flambent, des ombres rouges s'agitent, c'est le lieu où l'on brûle les morts. Il marche au hasard sous le ciel à présent criblé d'étoiles. Il longe la lisière de ce monde où, quelque part, se trouve Malika.

Le lendemain, tôt, il part en chasse. A la Poste où, cinq mille roupies encore, l'attend l'argent d'Aziz, il se procure un plan de la ville et relève les adresses des principaux hôtels. Ensuite, avec méthode, il va de l'un à l'autre. La réponse est partout négative : Malika, la grande danseuse, qui ne la connaît ? Mais nous ne l'avons pas vue. Est-elle à Bénarès ? Al comprend qu'il fait fausse route.

Rien ne prouve que Malika soit descendue dans un hôtel. Elle a peut-être préféré un ashram ou une maison de connaissance. Mais comment la trouver dans ces dédales de rues, sous ces moutonnements de terrasses ? Soyons logique. Si Malika est venue à Bénarès, c'est pour aller au fleuve. C'est donc là, et non dans la ville, qu'il faut la chercher.

Il revient au Gange, inlassablement en parcourt la rive. Quand il n'en peut plus de déambuler sous le soleil brûlant, il s'assied. Pendant des heures il reste ainsi, aux aguets, observant. Ses yeux se posent sur les femmes. Ce n'est pas elle... Ce n'est pas elle... A la longue les gens l'ont repéré. Qui est cet étranger ? Un touriste ? Un saint homme ? Un mendiant ? Non, il ne mendie pas. Est-il un peu dérangé ? Al s'en moque. Il a son travail à faire. Deux jours, trois jours se passent. Ce n'est pas elle... Il commence à désespérer.

Et si Malika avait déjà quitté Bénarès ? Si cette chasse à l'affût était totalement vaine ?

Ne pas se décourager. Dans cette aventure folle où la raison risque de lui échapper, il n'a depuis le début qu'un allié : l'obstination. Il continuera, un mois s'il le faut. Il ne renoncera pas.

Un point le gêne. Par tradition ou pudeur, de nombreuses femmes, quand elles descendent au fleuve, ramènent sur leur tête un pan de leur sari. Al distingue mal leur visage. Il y a certes la silhouette, la démarche ; mais Malika n'est pas la seule femme grande et svelte à se rendre au Gange. La veille, une femme est passée devant lui, le visage à moitié caché. Il a cru... Il a crié Malika ! et s'est précipité. On l'a pris pour un fou. Honteux, il s'est hâté de quitter la place.

Un jour, un enfant s'est approché et lui a parlé en hindi. Al a répondu par une mimique signifiant qu'il ne comprenait pas. L'enfant lui a éclaté de rire au nez et s'en est allé, moqueur, en sautillant d'un pied sur l'autre.

Une autre fois, c'est un vieil homme qui l'a abordé. Il lui a demandé en anglais :

– Vous attendez quelque chose, Sahib ?

– Non, a dit Al dans une réaction de désespoir, je n'attends plus rien.

Le vieil homme a hoché la tête :

– On attend toujours quelque chose, Sahib. Moi, j'attends la mort.

Après s'être éloigné il est revenu sur ses pas et a ajouté d'une voix douce :

– Vous aussi d'ailleurs. Ne le savez-vous pas ?

Sans raison apparente, Al a pensé à Aziz.

Sous l'effet de son obsession, son esprit élimine tout ce qui n'est pas l'objet de sa recherche. Il n'y a plus que les visages de femmes qui retiennent son attention. Tout le reste s'estompe. S'il marche dans la rue, l'homme à bicyclette qui le croise, le portefaix qui le précède, se brouillent, deviennent flous au point d'être indiscernables. En revanche, la paysanne qui vient vers lui, une jarre de cuivre sur la tête, lui saute aux yeux avec une force, un relief magnifiés par son attente passionnée.

Une idée lui est venue. Pour voir le visage des femmes il n'est que d'aller sur le fleuve, car, si elles gardent leur sari pour se baigner, elles découvrent leur tête. Alors il a loué une barque comme font les touristes et engagé deux rameurs auxquels il a ordonné de longer la rive. Il scrute maintenant les visages des femmes qui s'immergent dans le Gange. Toutes. L'une après l'autre. Toute la journée. Il y en a des centaines. Des milliers.

Sur la barque aussi il s'est trompé. Plusieurs fois, les reflets de l'eau ou les couleurs du couchant, jouant sur une vague ressemblance, l'ont abusé. Il a hurlé, trépigné. Mais ce n'était pas elle. Les rameurs, interloqués, ont échangé un regard. Ils l'observent maintenant avec curiosité et méfiance. Ils se demandent s'il est normal.

Ce n'est pas elle... Ce n'est pas elle... Non, ce n'est pas elle.

La barque et les rameurs lui coûtent cher. Il a appelé Aziz.

– Mais où est-tu ?

– A Bénarès.

– Encore ! Depuis combien de temps ?

– Dix jours.

– Dieu tout puissant ! Je t'attends à Delhi. Tu me laisses sans nouvelles. Je m'inquiète en me demandant si tu n'as pas eu un accident. Et Monsieur se prélasse à Bénarès ! Qu'est-ce que tu fais à Bénarès ! Tu ne vas quand même pas me dire que tout ce temps là tu as cherché Malika !

– Si.

Silence du côté d'Aziz. Puis :

– Al ?

– Oui.

– Tu te f... de moi ?

– Non, Aziz. Aziz, je ne l'ai pas encore trouvée et...

– Et tu as besoin d'argent.

– Oui.

– Naturellement. Écoute, Al. Je t'envoie encore cinq mille roupies. Et après, c'est fini ! Je ne veux plus financer tes folies ! Tu entends ? Et je te prie de rappliquer ici avec la moto ! J'en ai besoin ! Compris ?

– Ce n'est pas possible, Aziz. Je n'ai pas encore retrouvé Malika.

– Je... Tu... (La voix d'Aziz monte dans un crescendo de fureur, il est hors de lui). Tu ne la retrouveras jamais, ta Malika ! Tu ne veux donc pas comprendre ? Jamais ! Jamais ! C'est écrit. C'est ton destin ! C'est...

Le discours d'Aziz se transforme en borborygmes, à croire qu'il a une attaque.

Al raccroche.

Treizième jour, huit heures du soir. Le soleil se couche sur le Gange. C'est l'heure des sacrifices. Dans les temples les cloches sonnent à toute volée, rapides, pressantes. Les prêtres ont embouché leurs conques dont ils tirent comme de longs meuglements de taureaux. Immergés dans le fleuve jusqu'à la ceinture, les hommes, les femmes se sont tournés vers l'occident. Ils prient, guettant l'instant où disparaîtra le disque solaire.

Soudain, un cri :

– Ma-li-ka !

Elle tourne la tête. Leurs regards se croisent. Al lit de l'effroi et du désespoir dans le sien. Vivement elle se détourne, sort du fleuve, gravit en hâte les escaliers.

– Accostez ! Accostez ! hurle Al à ses rameurs.

Comme ils ne réagissent pas assez vite, comme il est difficile de manœuvrer parmi ces gens pétrifiés dans l'attente, Al se jette à l'eau et en quelques brassées atteint la rive. Malika est déjà tout en haut des degrés de pierre. Il s'élance à sa poursuite, l'aperçoit — elle porte un sari vert — au moment où elle disparaît en courant dans une ruelle. Il ne la voit plus Si, la voici, à trente mètres ! Il va la rattraper. Elle tourne à droite. Il la suit toujours. Il gagne du terrain. Sa longue tresse brune volette sur son dos. Il entend le claquement de ses sandales. Peut-être même sa respiration saccadée. A gauche, à droite ! A droite à nouveau. Soudain un carrefour. Quatre rues. Où est-elle ?

Al se jette sur la porte la plus proche, la martèle de ses poings. Elle s'ouvre. Paraît un homme vêtu de blanc :

– Que voulez-vous ?

– Malika... halète-t-il.

Visiblement l'homme ne comprend pas.

Al se rue sur une autre porte. Pas de réponse. Il n'a pas le temps d'insister.

Une troisième. C'est une femme qui l'entrebâille. Elle voit le visage d'Al, pousse un cri, referme aussitôt.

Al comprend que c'est fini. Il s'affaisse sur les genoux dans la rue et sanglote.

Des gens s'approchent, le regardent. Passent des policiers. Ils s'arrêtent. L'un d'eux se penche sur lui :

– Êtes-vous malade, Sir ?

Al secoue négativement la tête, se relève, s'en va.

La voilà, la preuve. Directe. Évidente. Irréfutable. Malika l'a vu. Pourquoi ce regard ? Elle l'a vu, entendu. Et elle s'est enfuie. Elle a refusé de l'attendre, de lui parler. Elle s'est enfuie en courant, comme si sa présence lui était odieuse, insupportable. Elle sentait qu'il allait la rejoindre, et elle a rusé pour qu'il perde sa trace. Elle l'a refusé brutalement. Rejeté. Pourquoi ce regard ?... Mais au diable ce regard ! Elle l'a trahi. Elle ne veut plus le voir.

Il l'a perdue. A jamais.

Pourquoi resterait-il ici ? Ça n'a plus de sens. Cette nuit ou à l'aube, Malika quittera Bénarès pour une destination inconnue, et cette fois il n'aura plus aucun indice. Un indice, pour quoi faire ? Sa quête est finie. Elle serait sans raison désormais. Il n'y a plus à chercher Malika, il n'existe plus pour elle, sinon comme objet d'aversion, elle n'existe plus pour lui. Son regard...

Sans qu'il s'en rende compte, ses pas l'ont ramené au fleuve.

– Sahib !

Deux hommes sont là, ses rameurs.

– Les roupies, Sahib...

C'est vrai, il ne les a pas payés. Il leur donne l'argent en arrondissant la somme.

– Demain, Sahib ? Comme d'habitude ?

– Non. Pas demain. C'est terminé.

Ils sont déçus, mais prennent congé avec force namasté.

C'est terminé, il vient de le dire. Le voici revenu à la case départ, lorsque, quatre mois plus tôt, il avait décidé de disparaître. Il revit cet instant, revoit la plage, la mer où il avance. Pourquoi a-t-il fallu qu'il se retourne ? Qu'il rencontre un regard qui était à la fois une promesse et un pardon ? Il eût mieux valu ce jour là qu'il n'y ait personne sur la plage puisqu'il se retrouve au même point. Non, ce n'est pas le même. C'est pire, car aux raisons qui le poussaient alors à en finir s'en ajoute maintenant une autre, la plus douloureuse, la plus grave, la fuite, le refus de Malika.

Il éprouve le même dégoût qu'alors, mais plus amer.

Il ressent la même sensation de vide, mais plus vertigineuse, plus affolante encore.

Celle qui l'a sauvé le trahit.

En marchant il s'est éloigné des temples et des hommes. Il a dépassé le champ crématoire, ses feux clairs, ses silhouettes rougeoyantes et son odeur de chair brûlée. Il est seul. La nuit est noire. Le Gange roule ses eaux sombres.

Le Gange, ça ne représente rien pour lui. Une masse d'eau comme une autre, qui va se jeter dans la mer.

Il y a des gens qui croient au soleil, à la lune, d'autres au Gange. Lui, il ne croit à rien. Il ne peut plus croire aux autres, puisque Malika l'a trompé. Il ne croit plus en lui-même. N'a-t-il pas tout raté ?

Le groupe de jazz-rock qu'il a créé au départ de Jack Andrews s'est terminé par un fiasco. Il avait voulu revenir au jazz-rock parce qu'il y trouvait un amalgame des deux, la violence de l'un, la subtilité de l'autre. Ça lui plaisait ; ça l'enchantait. Il a appelé son groupe Nagas, car Aziz lui avait un jour expliqué qu'en Inde les serpents nagas sont des symboles d'immortalité. Nagas. Les serpents immortels et sacrés. Le beau nom ! Excusez du peu ! Mais il n'a pas été capable d'organiser, de diriger. Il était trop instable pour construire, trop fantaisiste pour imposer une discipline, trop impulsif pour patienter quand c'était nécessaire et régler les problèmes avec sagesse et doigté. Il a manqué des contrats par outrecuidance ou maladresse et s'est brouillé avec son impresario. Ses musiciens ont regimbé, réclamé une direction collective. Ils se sont querellés. Chacun n'en faisait plus qu'à sa tête. Sans la poigne d'un chef, le groupe a éclaté, s'est dispersé. Il est resté seul avec sa guitare et ses dettes. D'autant plus seul que Béatrice l'a quitté.

Il n'est pas devenu un grand champion de moto et ne s'est pas imposé dans le jazz.

A quoi se résume sa vie ? Quelques pétarades de moteur, quelques accords de guitare.

Un peu de bruit.

Pourquoi ne pas sauter le pas maintenant? Ce fleuve, l'obscurité, la solitude l'y engagent. Il ne restera de lui aucune trace. Ce sera bien.

Mais a-t-il le courage de refaire le geste qu'il a déjà manqué ?

Quelqu'un, récemment, lui a parlé de la rivière qui va vers le fleuve, du fleuve qui va vers l'océan. Qui donc ? Ah oui, celui qu'ils appellent le Maître, ce prétendu saint homme, à Mathura, qui l'a berné. Il devait dire quelque chose, le Maître, pour être à la hauteur de sa réputation. Alors il a proféré une banalité en se donnant un air d'importance.

Tout le monde abuse et trompe tout le monde, lui le premier. Tout est faussé, tout est pipé.

Édith l'a trompé, Béatrice aussi, enfin Malika.

Il y a comme une croissance dans ses malheurs.

Il a cru d'abord qu'Édith serait une aventure parmi les autres. Elle avait de beaux cheveux châtain, des yeux bleus dont le regard vous exaltait et un corps harmonieux de sportive. Il s'est bien gardé de lui dire qu'elle n'était pour lui qu'une passade ; il voulait la garder quelque temps, elle faisait très bien l'amour. Et puis, il s'est attaché. C'est lui qui se trouvait pris ! Elle l'a deviné, mais n'en a soufflé mot. Elle l'observait, son beau guitariste, elle le jaugeait et le jugeait tout en prenant son plaisir avec lui. A vingt-cinq ans, Édith, elle avait déjà ses prudences et savait exactement ce qu'elle voulait. Elle l'a plaqué pour un chirurgien nettement plus âgé qu'elle, mais qui avait l'avantage de posséder une maison à Deauville, un yacht, et de gagner beaucoup d'argent.

Cela lui a fait mal. Il a tenté d'effacer Édith par d'autres femmes. Un an plus tard il a rencontré Béatrice.

Ce regard de Malika dans le Gange... Il contenait du désespoir. Pourquoi ?

Il sait bien qu'il ne se tuera pas cette nuit, il n'en a pas le courage. Aziz l'attend à Delhi. Il va le retrouver, lui rendre sa moto. Après, on verra bien. Aucun projet. Aucune perspective. Aucune envie.

Près de lui le Gange roule ses eaux sombres. Malika a peut-être déjà quitté Bénarès.

Il regagne son hôtel, appelle le garçon :

– Tu as du whisky ?

– On ne vend pas d'alcool à l'hôtel, Sahib.

– Si tu m'en apportes une bouteille d'ici dix minutes, en plus du prix je te donne cent roupies. D'accord ?

Cinq minutes plus tard il a sa bouteille.

Il boit. Les murs de la chambre sont sales. Un lézard gris court au plafond. Dans la pièce voisine un homme se racle la gorge.

Il boit, brutalement, pour s'assommer.

Il s'est réveillé tard et avec mal au crâne comme chaque fois qu'il a trop bu. En ouvrant les yeux il a vu la bouteille vide et il a gémi. Tout à coup il a pensé : Malika, le Gange, il a gémi plus fort, s'est retourné sur le ventre, le nez dans le drap. Il est resté ainsi un grand moment, s'efforçant de chasser tout souvenir, toute idée, puis il a eu très soif. Il s'est levé, habillé et, sans prendre le temps de se raser, est descendu. Il a commandé de l'eau minérale, qu'il a bue presque d'un trait, ensuite un café qui était affreux, insipide. Alors il est sorti et, suivant au hasard le flot des passants, a pris une ruelle après l'autre. Il s'est retrouvé devant le fleuve.

La foule des pèlerins est dense, mais il ne la voit pas. Il contemple l'eau scintillante. Son regard se pose sur l'endroit, là-bas, où Malika se baignait la veille, puis sur les degrés de pierre. Malika n'est plus à Bénarès, il n'a plus rien à y faire. Il n'a rien à faire nulle part, d'ailleurs. Tout est vide. Il lui semble qu'il n'a plus d'attaches avec le monde, qu'il flotte dans un vide immense et définitif. Son estomac se contracte. Un goût d'amertume, comme de bile, lui envahit la bouche. Il a envie de vomir.

– Al ! Mister Al !

– On l'appelle ?

– Mister Al !

A vingt mètres du bord, dans l'une de ces barques que louent les touristes, une femme agite les bras. Qui est-ce ?

La barque s'approche de la rive, non sans difficulté car il y a cohue. La femme en descend, vient vers lui.

Il se souvient. C'est Kristin, la petite Américaine de Mathura, la petite Américaine en jaune, mais aujourd'hui elle porte une robe bleue.

– Vous ne me reconnaissez pas ?

– Si, dit Al. Excusez-moi, je...

– Vous pensiez à autre chose.

– Effectivement, je...

Elle rit :

– Il n'y avait aucune raison, en effet, que vous pensiez à moi.

Elle se tourne vers le Gange :
– Ce spectacle est étonnant, n'est-ce pas ?
– Oui.
– Je suis arrivée hier soir. Depuis l'aube je parcours le fleuve. C'est fascinant. Je ne m'en lasse pas. Et si nous parlions français ?
Il la regarde, surpris :
– Vous parlez français ?
– Aux États-Unis j'enseigne la littérature française. Celle du Moyen Âge. Je suis une spécialiste du Roman de la Rose. Vous connaissez ?
– Non.
– Dommage. C'est splendide, vous savez ! D'une richesse surprenante. On n'en vient jamais à bout.
Tout en parlant ils remontent les marches.
– Il y a longtemps que vous êtes à Bénarès ?
– Treize jours.
– Mon Dieu ! Treize jours ! Cela vous passionne, n'est-ce pas ?
– Non.
– Alors, pourquoi y restez-vous treize jours ?
Al ne répond pas.
– Comment va votre pied ?
– Mon pied ?
– Vous ne vous rappelez donc pas ? L'épine...
– Si, dit Al, agacé. Il va bien, merci.
– Avez-vous retrouvé l'amie que vous cherchiez, Malika ?
– Oui... Non...
Elle le dévisage :
– Je ne comprends pas. Oui ou non ?
– Oui, dit Al sèchement.
– Je vois que je suis indiscrète. Pardonnez-moi. Je bavarde, je bavarde... Cela me fait tellement plaisir de parler un peu français.
Vous parlez très bien.
– Allons déjeuner. Je vous invite. J'habite l'hôtel Varanasi.
– Quelle heure est-il donc ? s'exclame Al en s'apercevant qu'il a oublié sa montre.

– Midi. Je suis levée depuis cinq heures et j'ai une faim de loup.
– Excusez-moi, dit Al. Je ne peux pas. Je ne suis pas rasé.
– Cela m'est égal. Venez.

Il se laisse faire. Ça lui fait du bien d'être auprès de cette fille qui pérore, ça l'empêche de penser. Et c'est reposant de parler un peu le français.

Le déjeuner a bien commencé. Kristin a joué le rôle de la jeune Américaine enthousiaste qui découvre l'Inde. Elle exalte l'ashram de Mathura, Bénarès. Sa prochaine étape sera Bodhgaya, à l'est du pays, avant Calcutta, où se trouve l'arbre de la Sagesse sous lequel Bouddha eut l'Illumination. Au milieu du repas, elle fléchit, devient morne. Elle bavarde encore, mais son entrain, son comportement sentent l'effort. Au café elle rend les armes :

– En ai-je dit, des bêtises ! Cela suffit. Mais aussi, vous n'ouvrez pas la bouche. Vous êtes muet comme une carpe. Ça va donc si mal ?

– Oui.

Par politesse il demande :

– Et vous ?

– Moi aussi. Mal. Très mal.

Il veut lui témoigner un peu de sympathie.

– Vous m'avez dit, à Mathura... Inconsolable ?

– Oui.

Son petit visage chiffonné, ses yeux bleus, enfantins, où stagne la souffrance, font peine à voir.

– J'ai beau me dire que nos durées de vie sont souvent inégales, que la mort sépare les meilleurs couples, que c'est ainsi et que nul n'y peut rien, je ne parviens pas à me reprendre, à maîtriser tant soit peu la situation. Je crains fort que tout cela ne soit puéril.

– Vous m'avez invité à déjeuner parce que je lui ressemble ?

– Oui. Excusez-moi. Il était moins fort et moins beau que vous. Mais la ressemblance est quand même frappante.

Elle se lève :

– Venez dans ma chambre. Je vais vous montrer quelque chose.

Sa photographie sans doute, pense Al. Il la suit.

Kristin a refermé la porte et donné un tour de clef. Elle s'étend sur le lit, ferme les yeux :

– Prenez-moi, je vous prie, dit-elle d'une voix suppliante.

Pour être plus explicite, elle relève sa robe au-dessus des genoux.

Al la regarde avec stupeur. Sa surprise est totale. Il ne la désire pas. Elle n'est pas du tout son genre. Mais peut-il refuser ? Elle lui fait pitié. Elle demande. Elle implore. Dans une bouffée de colère la pensée lui vient que Malika, elle, le méprise et le refuse. Eh bien, il va se venger en la trompant ! Il reprend sa liberté. C'est fini ! Par Kristin il retrouve les femmes !

Il la rejoint sur le lit, retrousse sa robe, arrache sa culotte et la prend avec violence.

Elle est restée inerte. Ses paupières, ses lèvres n'ont pas frémi ; ses mains ne se sont pas posées sur lui.

Ils gardent le silence.

– Tu pensais à elle ?

– Oui. Et toi ?

– Oui, je pensais à lui.

Il a un petit rire moqueur :

– Alors ? Effet nul ?

– Oui. Tu n'es pas lui.

Elle se lève et se rajuste :

– Pardonne moi.

Il ne sait que dire.

Elle va et vient dans la pièce. Il la sent au bord des larmes.

– Viens, dit-elle. Retournons au fleuve. Là, je ne sais pourquoi, il me semble que nous serons plus près d'eux.

Il sursaute. Une rage le prend :

– Non ! Je ne veux plus le voir, ce fleuve ! Je hais cet endroit ! Je hais Bénarès !

Elle le regarde, hoche la tête, s'assied près de lui.

– Raconte.

Et il raconte, parce qu'il souffre trop, parce qu'il en a assez de souffrir seul et en silence, parce qu'il en a assez de se taire alors qu'il lui semble que sa tête et son cœur vont éclater. Il raconte tout, la rencontre, la vie à Paris, la disparition de Malika, ses recherches en Inde, Malika trouvée hier sur le Gange et la poursuite dans Bénarès.

Elle le laisse parler. Attentive, elle l'écoute sans l'interrompre. Quand il a terminé sur ce cri — Elle ne veut plus de moi ! Elle ne m'aime plus ! — elle garde encore le silence. Puis elle secoue pensivement la tête :

– Tu te trompes, Al. Ce ne peut être cela.

– Oh, je t'en prie, pas de ménagements, pas de fadaises !

– Non, pas de fadaises. Mais, je te le dis, tu te trompes. Tu connais Malika. Je l'ai rencontrée aussi. Quitter un homme que l'on n'aime plus sans avoir le courage de le lui dire, en face de préférence, ou par une lettre, c'est lâche. C'est faible à tout le moins. Il y a une impossibilité psychologique. Malika n'est ni lâche ni faible.

Il la dévisage, sidéré. Il n'y avait pas pensé. C'est vrai. C'est évident. Il se sent rougir comme s'il était devant Malika et venait de lui manquer gravement.

– Alors, comment expliques-tu...

– Je ne sais pas, Al. Ce n'est sans doute pas simple. Mais, au vu de ce que tu m'as dit, tu ne peux trancher en affirmant que Malika ne t'aime plus. Il y a autre chose...

Il la revoit, hier, au moment où il l'a surprise dans le Gange.

– Ce désespoir, dans son regard...

– Pardon ?

– Hier, mon regard a croisé le sien. J'ai vu dans ses yeux de l'effroi ; mais aussi du désespoir.

– Peur de quoi, désespoir de quoi ?

– Je ne sais pas.

– Effroi de te revoir ? Désespoir de te fuir ?

– Kristin, dit Al d'une voix tremblante, ne joue pas avec moi. Ne me dis pas que Malika est désespérée de me fuir, car, alors, c'est à moi que tu redonnes l'espoir.

– Je ne te dis pas d'espérer. Rien ne m'y autorise. Je dis simplement que je ne comprends pas. Il y a contradiction entre le caractère de Malika et sa façon d'agir. Comme si...

– Oui ?

– Comme si elle était contrainte. Forcée.

– Forcée de me fuir ?

– Oui.

Al passe la main sur sa tempe.

– Forcée par quoi ? Par qui ?

– Encore une fois, je l'ignore. Tu n'as vraiment aucun indice ?

– Non. C'est comme un mur d'ignorance et de silence. Un mur sans fissure. Auquel je me heurte.

Il ajoute en ricanant :

– Le frelon qui se cogne à la vitre au moins voit de l'autre côté. Moi, je ne vois rien.

– Que t'a dit son père ?

– Il a évoqué des histoires, des souvenirs d'autrefois. Il ne comprend pas et a peur.

– Et l'écrivain, Desaï ?

– Il la cherche lui aussi, maintenant. La Begum sait quelque chose, peut-être. Je voulais aller la revoir, exiger qu'elle parle, puis j'ai renoncé. A quoi bon, me disais-je, puisque Malika ne t'aime plus... Tu me le fais comprendre, c'était une erreur. Lucknow n'est pas loin d'ici. J'irai demain. Avec le maître de danse et Manju, la Begum est la seule à l'avoir rencontrée récemment.

– Non, dit Kristin. Il y a aussi le Maître. Malika l'a vu plusieurs fois, elle me l'a dit.

– Ah, laisse ce petit vieux rabougri ! s'exclame Al avec colère. Il m'a mené en bateau. Du bluff ! N'importe quoi !

– Tu ne devrais pas le sous-estimer, rétorque Kristin d'une voix douce. C'est un homme très remarquable. Que t'a-t-il dit ?

– Des sornettes ! Que je devais aller au coucher du soleil sur la rive de la Yamuna, et que j'y verrais Malika. Et moi, pauvre imbécile, impressionné par je ne sais quelle lumière bleue, j'y suis allé ! J'y suis allé et je me suis flanqué une épine dans le pied ! Faut-il être stupide et crédule !

– Et tu n'as pas vu Malika ?

– Évidemment non, je ne l'ai pas vue ! Elle avait déjà quitté l'ashram. Pour Lucknow ! Et il le savait !

La voix de Kristin est toujours patiente et douce :

– Al, qu'as-tu vu sur la rivière ? Rappelle-toi.

– Rien, je te dis.
– S'il te plaît, fais un effort.
Al lui jette un coup d'œil exaspéré, presque méchant.
– Tu te moques de moi ?
– Non, Al. Essaie. Rappelle-toi.
Il hausse les épaules :
– Le soleil se couchait. La rivière changeait de couleur. La nuit tombait. Tout était calme… C'est tout.
– Rien d'autre ?
– Rien d'autre.
– Pas un détail ? Un mouvement ? Un bruit ? Quelque chose qui à première vue ne paraîtrait pas important ?
– Rien. Si... Peut-être... Vers l'est, au-dessus de la rivière, un oiseau blanc s'est envolé. Il a disparu dans la nuit.
Kristin se lève et va vers la fenêtre. Elle paraît s'absorber dans la contemplation de la rue.
– Donc, rien, dit Al. Le Maître, comme tu l'appelles, s'était moqué de moi. Eh bien, parle. Reconnais le qu'il s'est moqué ! Parle donc. Mais, qu'as-tu ?
Il va jusqu'à elle, la saisit par les épaules, brusquement la fait pivoter.
– Tu pleures ? Pourquoi ? Qu'ai-je dit ?
Elle baisse la tête, veut lui échapper, mais il la tient ferme.
– Kristin, que se passe-t-il ? Réponds moi !
Il la secoue. Elle s'obstine à garder le silence. Il scrute son visage. Soudain il comprend :
– Ah non ! Tu ne vas pas me dire que cet oiseau blanc... Cet oiseau n'était pas Malika, petite folle ! C'était un oiseau, un oiseau comme les autres... Tu ne vas pas me dire que cet oiseau était l'image de Malika... Que ton Maître l'a suscité pour m'adresser un signe... Pour me faire comprendre... Ne me raconte pas des balivernes. Eh bien, parle ! Parle ! Tu ne veux pas ! Soit, ne parle pas. J'en ai assez de ces simagrées... Assez de vous tous ! Assez de toi !
En deux enjambées il gagne la porte, s'énerve sur la clef qui résiste, ouvre violemment et, sans refermer derrière lui, s'en va.
Il ne se maîtrise plus. La tête lui tourne. Il murmure des mots sans suite. Fulmine. Il envoie Kristin à tous les diables. Et tous les autres. Le soleil accablant, loin de l'abattre, exaspère sa

fureur. Sa marche est si saccadée et brutale, son visage exprime une telle rage, que les gens se retournent sur son passage. Il arrive à son hôtel, exige sa note sur le champ, monte dans sa chambre. Il fourre ses affaires dans sa mallette, redescend. La moto est dans l'appentis où il l'a remisée treize jours plus tôt. Il la vérifie. Ça va. Adieu Bénarès ! Il n'y reviendra de sa vie ! Il démarre en trombe.

Pour Lucknow ! ricane-t-il. Pour Luknow ! Je vais faire parler la Begum ! Je vais savoir. Par n'importe quel moyen. S'il le faut, je frapperai. Je veux savoir !

Lucknow, à l'ouest. Voici la route. Je n'ai plus qu'à foncer. J'y serai ce soir. Ce soir, elle parlera !

Au mépris de toute prudence, il trace. Il prend des risques. Ça ne fait rien. Une seule chose compte : la Begum sait, elle parlera.

Bénarès l'a torturé. Pendant treize jours il s'est contrôlé, maîtrisé, forcé à la patience, obstiné. Il a atteint son but, retrouvé Malika. Et, au moment précis où il allait la reprendre, Bénarès s'est interposée, la lui volant ! Il hait cette ville.

Il hait Kristin, cette mijaurée ! Avec sa voix doucereuse, ses grands yeux bleus hypocrites, elle l'a fait parler. Il lui a tout dit. Encore plus qu'au juge ! Il est vraiment incorrigible ! Elle lui a redonné l'espoir en lui démontrant qu'il n'avait pas encore le droit de douter de Malika, en lui disant que celle-ci souffrait peut-être de le fuir. Et puis, tout d'un coup, comme le prestidigitateur le lapin du chapeau, elle sort l'oiseau blanc, lui signifiant que Malika est partie pour toujours et qu'il ne la reverra jamais. Elle n'a même pas la hardiesse de le dire. C'est par son silence, son visage de mi-carême, ses larmes de crocodile, qu'elle le suggère. Mon pauvre Al, que c'est triste ! Il s'en est allé, le bel oiseau blanc ! Il a disparu dans la nuit. Pour toi, Malika n'existe plus.

Une embardée. Il a failli percuter un taxi. Le chauffeur, la tête à la portière, vocifère. Au diable ! Lucknow !

Avec son Maître, sa lumière bleue, ses larmes et son oiseau blanc, elle l'a mis hors de lui, Kristin ! Il ne veut plus la voir ! Et cette scène du lit ! Sa voix pitoyable : prenez-moi, je vous en prie. Pas possible ! Les femmes... Au diable toutes les femmes ! Et elle est restée aussi insensible qu'un morceau de bois, à croire qu'il ne se passait rien entre ses cuisses ! C'est grotesque. Et il a été lui-même ridicule !

Quand cessera-t-il donc de foncer tête baissée dans tous les panneaux ? De se faire avoir ?

Abruti ! hurle-t-il à un motard qui ne s'écarte pas assez vite.

Il va voir la Begum, lui parler face à face et personne ne pourra s'y opposer. Il va savoir si vraiment Malika l'aime encore, pourquoi elle le fuit, où elle est à présent. Car, il en est sûr, la Begum est au courant de tout. Il va la faire parler, cette garce. Qu'elle le veuille ou non, elle parlera. Il n'a plus rien à perdre. Une seule chose lui importe. Comprendre.

Et le maître de danse ? Et Desaï ? Qu'ils ne s'avisent pas de croiser encore son chemin et de l'allumer, ces deux là, il pourrait leur en cuire.

Et le juge ? Il a promis de l'appeler s'il avait des nouvelles de Malika. Mais cela peut attendre. Pour l'instant il s'occupe de la Begum. On verra ensuite.

Il doit changer, devenir dur, sceptique et réaliste. Ne plus croire personne. Surtout les femmes. Il aurait dû apprendre la leçon avec Édith. Mais non ! Un an plus tard il récidivait avec Béatrice !

Il l'a rencontrée dans un club de jazz. Blonde, sexy, des formes voluptueuses, une poitrine à faire fantasmer. Des traits réguliers, un charmant sourire, câline, enjôleuse comme une chatte, vêtue de cuir et l'allure rock. Il a flambé. Ses yeux verts, sa bouche sensuelle et son air de femme enfant l'ont séduit. Il s'est installé chez elle. Un mois plus tard ils se sont mariés.

Après Hélène, sa seconde femme. La définitive. Il était heureux.

En fait il venait de commettre l'une des graves erreurs de sa vie en choisissant exactement la femme qui ne lui convenait pas. L'amusement, la futilité, la frime, la dureté et le besoin d'argent.

C'est elle qui, la première, a été déçue. Elle l'avait épousé parce qu'elle le voyait talentueux, séduisant ; elle s'imaginait qu'ils allaient vivre dans un monde de musique et de danse, où tout serait magiquement facile et drôle, où elle brillerait parmi les artistes et les musiciens. Quand elle a compris que la musique requiert un travail constant, quand elle a constaté qu'il n'avait pas de rentrées d'argent régulières, que soudain le nécessaire venait à manquer, qu'elle ne pouvait ni acheter les robes dont elle rêvait ni folâtrer chaque soir sur les pistes de danse, elle a déchanté. Elle a commencé à se plaindre, à lui reprocher de ne pas gagner assez, à devenir agressive. Quel métier ! Changes en donc, puisqu'il ne te rapporte rien ! Londres a momentanément arrangé les choses. Ils étaient financièrement à l'aise, voyageaient parfois ensemble. Mais pendant ses nombreuses absences elle prenait des habitudes d'indépendance, sortait sans lui, nouait des amitiés personnelles. Elle s'est définitivement détachée quand il n'a pu s'imposer avec son groupe. Elle ne l'a ni encouragé ni aidé. Sans mot dire elle a assisté à son naufrage. Un beau jour, sans crier gare, elle est partie.

Une nouvelle fois il a sombré. Pour tenter d'oublier ses échecs il s'est remis à boire, à courir les filles. Et c'est alors que ce sentiment d'inutilité, de vide, s'est ancré en lui. De vide, oui. Comment expliquer ? A trente cinq ans il n'avait rien réalisé, rien construit, il allait à la dérive et n'avait aucun espoir de pouvoir remonter la pente. Fastidieux, écœurant cocktail quotidien d'oisiveté, d'alcool et de filles trop faciles ! A bref délai, la déchéance. Il valait mieux arrêter. Il s'est retrouvé sur une plage, avançant, pour en finir, dans la mer.

Par cette chaleur, sur ces routes encombrées, avec cette poussière qui vous dessèche les lèvres, ils sont longs les trois cents kilomètres qui séparent Bénarès de Luknow. Mais il a conduit vite. La nuit tombe. Il est arrivé.

Il se repère aussitôt dans la ville, retrouve la résidence de la Begum. Comme l'autre fois, il enchaîne sa moto à quelque distance, s'approche en prenant soin de rester dans l'ombre des arbres. La grille est fermée. Il passe par-dessus le mur, avance dans l'obscurité du parc. Il va s'introduire dans la maison, surprendre la Begum, exiger des explications complètes. Il saura enfin.

– Oui, enfin !

Les derniers buissons, les derniers massifs. La maison. Surpris, il se fige sur place. Il s'attendait à voir de l'animation, des allées et venues de domestiques, de la lumière. Et voici que tout est sombre, silencieux.

Que se passe-t-il ? La maison semble fermée.

Prudemment il en fait le tour. A l'arrière, dans une pièce qui donne de plein pied sur le jardin, une lampe brûle. Il avance à pas de loup et par la porte ouverte risque un coup d'œil. Un homme dort sur une natte. Il reconnaît le domestique au profil aquilin, l'homme de confiance, celui qui l'avait menacé. D'un bond il est sur lui, le maîtrise, lui tord un bras dans le dos.

– Où est la Begum ? souffle-t-il.

L'homme, affolé, a peine à reprendre ses esprits. Il geint, reconnaît Al.

– Où est la Begum ? répète celui-ci, et il accentue sa prise.

– A Calcutta, Sahib !

– Y a-t-il quelqu'un ici ?

– Non, non, Sahib ! Il n'y a personne !

– Montre moi !

Le poussant devant lui, il parcourt le rez-de-chaussée, monte à l'étage. Tout est désert.

– Quand est-elle partie ?

– Ce matin.

– Seule ?

– Avec le maître, son mari.

– Pourquoi ?

– Je ne sais pas.

Al serre sa clef de judo. L'homme crie.

– Tu n'as rien entendu, rien appris ?

– Non, non, Sahib !

– Je vais te poser une dernière question. Si tu mens, je te casse le bras. Quand je suis venu l'autre jour, Malika était là ?

– Oui.

– Elle s'en est allée peu après en voiture ?

– Oui.

Ils descendent, traversent le parc. Al libère l'homme qui masse son bras endolori.

– Ouvre la grille ! Bien des salams à la Begum.

Al s'éloigne dans la nuit. Il a un petit rire, qui se répète, s'enfle, s'enfle jusqu'à devenir tonitruant. Un rire inquiétant. Quasiment fou.

Le mur de mensonge est sans faille. Il repart bredouille. Une fois de plus on s'est joué de lui.

Comme d'habitude il ne lui reste qu'à trouver un hôtel et, comme d'habitude, à se saouler à mort.

Il enfourche sa moto, démarre, accélère, file à toute allure dans les rues presque vides. Dans son excitation désespérée il oublie qu'il doit conduire à gauche. La masse d'un camion surgit devant lui. Il tente vainement de l'éviter, ressent un choc formidable, se sent projeté en l'air. Il perd connaissance.

– Oui Monsieur, cela fait mal, dit en riant le médecin à la triste figure. Vous avez une luxation de l'épaule droite, deux côtes cassées, et de multiples contusions. Plus un épanchement de synovie. Restez tranquille, je vous prie, et remerciez Dieu d'être encore en vie. Vous êtes ce qu'on appelle un trompe-la-mort.

– La moto ? murmure Al.

– La moto ? Ah, ce n'est pas mon affaire. Je n'ai pas, figurez-vous, étudié l'anatomie des motos. Vous demanderez à la police. Ne vous agitez pas. Je viendrai vous voir à midi.

Ce médecin l'énerve. Il a un visage lunaire, éploré, creusé de rides verticales qui le tirent vers le bas et, pour compenser sans doute, il affecte continuellement d'être gai. A l'en croire, tout serait comique, y compris le fait d'avoir bousillé sa moto et d'être cloué dans un lit.

La poisse ! C'est la poisse.

Mais aussi, a-t-on idée, à la fin du vingtième siècle, de maintenir la circulation à gauche !

Si Aziz était là... D'abord il serait furieux à cause de la Kawa. Et puis il dirait sur un ton inspiré : Je t'avais prévenu, Al... C'est le deuxième coup du destin. Pourquoi t'es-tu obstiné ?

Au diable les prophéties d'Aziz !

C'est sous le coup de la douleur qu'il est revenu à lui. On le plaçait sur une civière et il lui semblait qu'une tenaille puissante lui déchirait l'épaule. Des policiers s'affairaient, tenaient les badauds à distance. Le camion était arrêté un peu plus loin et son conducteur, le croyant mort sans doute, levait les bras au ciel en poussant un long hurlement.

La Stinger, avait-il pensé.

En tournant la tête il avait pu la voir de l'autre côté de la rue, gisant sur le flanc comme un animal blessé. On l'avait enfourné dans l'ambulance. Il souffrait de partout, de l'épaule surtout, mais il se disait qu'il en avait vu bien d'autres et qu'il était en vie. A l'hôpital le médecin à la triste figure l'avait, en riant, examiné. On lui avait bandé l'épaule et le torse, et donné un somnifère. Il venait de se réveiller.

La porte s'ouvre. Naturellement, c'est la police. Un gradé en kaki, avec une belle casquette. Il est civil et jovial, ce qui n'exclût pas la fermeté.

– Comment allez-vous, Sir ?

– Ça va, dit Al. Mais je m'inquiète pour ma moto.

– Si vous me permettez la comparaison, elle est comme vous, Sir. Elle est diablement cabossée mais tourne rond.

– Elle marche ! s'exclame Al.

– Nous l'avons essayée et ramenée ici. C'est un beau morceau. Et voici votre mallette. Nous vous l'avons empruntée pour vérifier vos papiers. Vous conduisiez à droite, Sir. Vous étiez en pleine infraction.

– Je regrette, dit Al. C'était un mauvais réflexe. Dans mon pays on conduit à droite. Excusez-moi.

– Vos papiers ne sont pas en règle, Sir. Votre visa de tourisme est expiré depuis six jours.

Le visa ? Il l'avait complètement oublié !

– Enfin cette moto n'est pas à vous.

– Un ami de Delhi...

– Nous le savons. (L'officier sourit.) Elle appartient à notre grand musicien, Aziz Abdul Khan. Nous lui avons téléphoné. Nous l'avons rassuré, mais il semble se faire beaucoup de souci à votre sujet. Il prend l'avion et sera ici dans la soirée.

– Ah...

– Son assurance paiera pour les éraflures du camion. Rien de grave. Mais n'oubliez pas de faire prolonger votre visa. C'est important. Portez-vous bien, Sir.

L'officier salue, claque des talons et s'en va.

Al ferme les yeux.

Aziz va venir. Heureusement la moto est en état de marche. Sur ce point il a de la chance. Mais il va devoir écouter ses reproches. Surtout, Aziz va vouloir le ramener à Delhi. Or, ça, c'est impossible.

Il veut, il doit retrouver Malika.

Comment ? Il ne sait pas. Mais un mot s'impose à lui : Calcutta. La Begum est partie pour Calcutta. C'est un signe. Son instinct lui dit que tel est le dernier, l'ultime indice qui lui est donné. Calcutta, c'est le dénouement. Il faut aller à Calcutta.

Pour l'instant, dormir, reprendre des forces. Il a été secoué.

Il dort. A midi on lui apporte son repas. Tant bien que mal il parvient à le manger avec sa main gauche. Il se rendort.

A trois heures de l'après-midi il se réveille. La chaleur est écrasante. Le ventilateur lutte en vain contre l'air lourd. Mais son esprit est alerte. On dirait qu'il a repris des forces et travaillé activement pendant son sommeil.

Voilà ce qu'il faut faire, pense-t-il.

Il se lève. Ça va. Il a mal à l'épaule, au côté droit, au genou, mais ça va quand même. Il va jusqu'à la porte de la chambre — ça va toujours — l'entrebâille et regarde dans le couloir. Personne. Il revient à son lit, prend son portefeuille et son carnet d'adresses, tout doucement sort dans le couloir. L'escalier se trouve sur la droite. Avec difficulté il descend deux étages en s'accrochant à la rampe et atteint le rez-de-chaussée. Voici le bureau de l'accueil. Un homme sommeille derrière le comptoir. De la main gauche Al le tire par la manche. L'homme se réveille en sursaut.

– Voici pour vous, dit Al en tendant un billet de vingt roupies. Je voudrais téléphoner.

L'homme s'est levé. Il regarde les pansements d'Al, le billet :

– Par ici, Sahib.

Il l'introduit dans un bureau et l'y laisse seul, fermant soigneusement la porte. Al appelle Calcutta :

– Je voudrais parler à Sir Justice Ganguli. Dites lui que c'est de la part de Al. Simplement Al.

A l'autre bout du fil, une voix qui ne lui semble pas inconnue :

– Sir Justice Ganguli n'est pas ici. Il est parti à Barrackpore. Vous me connaissez, Sahib. Je suis Sohel, le majordome de Sir Justice.

Oui, il se souvient. Le vieux serviteur au doux visage.

– Merci, Sohel. Je vais donc appeler Barrackpore. Quand Sir Justice est-il parti ?

– Ce matin, Sahib.

– Seul ?

– Avec la Begum, Sahib.

– Bien, bien. Et quoi de nouveau, Sohel ?

– Je... Il paraîtrait... Il paraîtrait que Miss Malika les y rejoindrait, Sahib. Mais je ne suis pas sûr... Je ne suis pas sûr...

– Merci, Sohel. Ne vous faites pas de souci. Je serai discret.

Il raccroche le combiné, s'affale sur une chaise. La sueur ruisselle sur son visage. La tête lui tourne.

Les voilà donc réunis ! Enfin ! Non, il ne téléphonera pas à Barrackpore. Il ira. Oui, il ira ! Il les tiendra dans sa main, Malika, le juge, la Begum, et tout sera élucidé, éclairci !

Il revient au bureau de l'accueil, tend un autre billet à l'homme :

– Où est la moto ? Vous savez, la moto accidentée, celle que la police a ramenée ce matin ?

L'homme panique :

– Vous n'allez pas partir, Sir ! Dans cet état...

– Non. Je veux seulement vérifier qu'elle marche.

– Dans la cour, Sir.

– Aidez-moi.

En claudiquant, s'appuyant sur le bras du réceptionniste, il sort de l'hôpital, se dirige vers un hangar. Elle est là. Cabossée, ainsi que l'a dit l'officier de police, mais apparemment intacte dans ses œuvres vives. Affectueusement Al la caresse de sa main gauche, s'assied sur la selle. Il débraye, passe à vide ses vitesses et revient au point mort. Ça va. Ça va bien ! Il arrête le moteur.

Au bras du réceptionniste il regagne l'hôpital, puis monte dans sa chambre, s'étend sur le lit. Il tremble de fatigue. Mais c'est fait. C'est fait ! Il ne lui reste plus qu'à dormir en attendant Aziz.

Vers les six heures il entend un bruit de moteur dans la cour, le reconnaît aussitôt. Aziz est arrivé et essaie la Stinger. Cinq minutes s'écoulent. La porte s'ouvre. C'est Aziz.

Il est pâle d'émotion et de colère, Aziz, et quand il voit Al dans son lit ses lèvres ne se desserrent pas pour un sourire.

– Comment vas-tu ?

– Ça va. Tu sais, la moto...

– Elle marche, oui. Je viens de l'essayer.

– Je t'ai entendu. Aziz, je t'enverrai de l'argent de France pour te rembourser mes dettes.

– Ne parle pas de cela. Demain je ramènerai la Kawa à Delhi. Quand tu seras rétabli, tu m'y rejoindras par le train. Tiens, voici le billet.

Silence d'Al.

– Pas d'objection ?

Silence d'Al.

– Ensuite tu repartiras pour la France. Tu as un aller et retour ?

– Non.

– Je t'avancerai le prix du retour.

Al se met à rire :

– Tu veux vraiment te débarrasser de moi.

– Non. Je veux te débarrasser de toi-même. (Aziz sourit pour la première fois). Il y a beaucoup de jolies, de très jolies filles en France. Tu oublieras Malika.

Silence d'Al.

– Qu'en penses-tu ?

– C'est possible.

– Eh bien, nous sommes d'accord. Delhi, Paris. D'ailleurs tu m'y verras bientôt. Dans deux mois je serai en Europe. On fera de la musique ensemble. On s'amusera. Entendu, Al ?

– Entendu.

Aziz paraît surpris de sa facile victoire. Il s'attendait à un affrontement. A un éclat. Non, rien de tout cela. Tout va bien. Il est vrai qu'il est sonné, ce pauvre Al. Ça rend raisonnable, d'être sonné.

Du coup sa voix devient chaleureuse :

– Dors bien, mon vieux. Je viendrai te voir demain matin avant de prendre la route.

– Aziz ?

– Oui ?

– Merci pour tout.

– Ce n'est rien. Salut, mon vieux.

Il quitte la chambre.

Al est aux aguets. Il écoute. Aziz va-t-il utiliser la Kawasaki pour regagner son hôtel ? Dans l'affirmative il sera obligé de prendre le train pour Calcutta. Quelques minutes s'écoulent. Aucun bruit de moteur. Aziz a laissé la moto dans le hangar.

Al soupire de soulagement. Il sait bien qu'avec son épaule luxée et son genou douloureux le voyage en moto sera rude. Mais il préfère cette solution. En moto, il va où il veut, disparaît dans la nature. S'il devait prendre le train, Aziz saurait par une brève enquête de police qu'il est parti pour Calcutta. Il s'énerverait, s'agiterait, téléphonerait peut-être au juge. Il mettrait l'embrouille partout. Avec la moto, pas de problème. Aziz n'aura aucun moyen de savoir où il est parti.

L'infirmière lui apporte un somnifère pour la nuit. Il dissimule le cachet dans sa main et fait semblant de l'avaler. Elle n'y voit que du feu.

A présent, se reposer. Dormir.

Une heure du matin. Il se réveille. Dans l'hôpital tout est silence. Il se lève, passe son pantalon, sa chemise ; ça lui fait mal et c'est long. Sa mallette à la main gauche, il descend l'escalier. Dans le hall d'entrée le gardien de nuit ronfle sur son lit de sangles. Al le contourne, sort dans la cour qu'éclaire discrètement un seul lampadaire. Il atteint le hangar, arrime sa mallette, enfourche la Stinger. Maintenant, attention, faire le moins de bruit possible. Il lance le moteur passe en première, roule doucement vers la sortie. Le gardien ne s'est pas réveillé. Ouf ! En avant !

Il connaît la route. D'abord celle de Lucknow à Bénarès, qu'il ne fera qu'effleurer, puis la Grand Trunk Road, toujours vers l'Est. Il compte deux jours pour atteindre Calcutta. Il ne doit pas mettre davantage afin d'être sûr de trouver tout son monde à Barrackpore. Donc pas de temps à perdre. Et pas d'imprudences.

Il traverse Lucknow endormie, s'enfonce dans la campagne. La nuit est noire, la route quasiment vide. Il roule vite à la lueur de ses phares.

Pour l'instant son épaule le laisse à peu près tranquille, mais il sent que tout cahot un peu violent risquerait de réveiller la douleur. Rien à signaler pour ses côtes, sinon un pincement léger et la gêne du bandage très serré. Son genou lui fait mal, car sa position en zigzag sur la Stinger l'oblige à le plier et il proteste à sa façon.

Un sentiment de déjà vécu. Ce n'est pas la première fois qu'il se sauve d'un hôpital après une chute. Les pilotes de moto sont coutumiers du fait. On enlève soi-même son plâtre et on joue les filles de l'air pour aller prendre part à une compétition. Les médecins sont furieux. Mais manquer une course réduit à néant vos efforts et vos succès de toute une saison. On ne peut hésiter.

Aziz n'apprendra sa fugue que vers les neuf heures. A ce moment là il sera déjà loin !

Il roule dans la nuit, tranquillement. De temps à autre un camion, dont le conducteur paraît ignorer l'usage des codes, le croise dans un éclaboussement de lumière blanche. Des yeux luminescents semblent l'épier sur les bas-côtés, un chien, un chacal, un chat.

Les heures passent, sans heurts, sans complications d'aucune sorte. Juste devant lui — il roule déjà vers l'Est — il voit poindre l'aube, surgir l'aurore. Le ciel est rose, parsemé de petits nuages bleus et blancs. Et comme au lever de rideau d'un théâtre apparaît la grande scène du monde. Autour de lui la plaine découvre ses champs brillants de rosée, ses arbres encore frais, ses villages. La vie des hommes commence. Les paysans partent à leur travail, la houe sur l'épaule. Les femmes vont au puits, en balançant leurs bras, le grand vase de cuivre posé sur la tête. Conduits par des enfants chamailleurs, les buffles avancent lentement sur les pistes. Les oiseaux volettent et pépient. La route se remplit de charrettes, de vélos, de piétons. L'Inde s'éveille. Il ne sait pourquoi, Al en éprouve une grande joie, mais teintée de mélancolie. Dans quelques jours peut-être, quand tout sera réglé, il partira pour l'Europe et il ne reverra jamais plus ce spectacle.

Vers les huit heures — il y en a déjà sept qu'il est parti — Al ressent le besoin de se détendre et de se restaurer. Il doit aussi refaire le plein d'essence, le réservoir de la Kawasaki est presque vide. Il voit sur le bord de la route une pompe que jouxte une échoppe à thé, s'arrête. Son épaule droite et sa jambe gauche sont ankylosés et il a de grandes difficultés à descendre de la moto. Il boit le contenu de plusieurs théières, puis commande des galettes de blé. A peine a-t-il fini son repas qu'accablé de fatigue il s'endort sur son banc, le front contre la table. Il dort ainsi deux heures sans que personne n'ose le réveiller. A dix heures il faut repartir — que c'est dur de se remettre en selle ! La chaleur devient très forte et la véritable épreuve commence. Il souffre maintenant de son épaule et chaque tressautement un peu fort lui arrache un gémissement. Parfois il ralentit l'allure et libère son côté droit en conduisant de la seule main gauche. Mais la route est trop encombrée et trop rugueuse pour que cela puisse durer et d'ailleurs il n'en obtient qu'un soulagement relatif. Il faut accepter ces douleurs lancinantes de l'épaule et du genou, tenter de les neutraliser, de les oublier autant que possible. Serrer les dents et s'obstiner cependant qu'interminables et monotones se succèdent les kilomètres. Au début de l'après-midi il n'y tient plus, la souffrance et la chaleur cumulées viennent à bout de sa résistance et il s'accorde une autre sieste à l'ombre d'un arbre, dans un champ. A quatre heures il repart. Sa volonté toute entière est tendue vers un but : arriver le lendemain soir à Barrackpore. Il ne doit penser qu'à cela.

Que se passera-t-il à Barrackpore ? Seront-ils là tous les trois, Malika, la Begum, le juge ? Il y compte bien. Alors l'explication sera donnée et il souffrira. Oui, il va souffrir, cela est certain, car il ne peut espérer que la situation se dénoue et s'éclaire par miracle. Malika est allée trop loin dans son inexplicable refus, il l'a suivie trop loin dans la souffrance.

Chaque fois que tu as aimé, tu as souffert, Al. Il fallait t'en tenir à ta partition : l'indifférence et la jouissance. Les variations sur le thème de l'amour ne sont pas pour toi. Tu as déjà payé très cher tes imprudences passées. Maintenant, que vas-tu trouver au bout de cette course sinon le vide ?

Vaut-il la peine de se rendre à Barrackpore ? Faut-il vraiment s'infliger cette dure randonnée à seule fin d'aller poser sa tête sur le billot ? A-t-on jamais vu le bœuf se hâter de lui-même sur le chemin de l'abattoir ?

Aime-t-il encore Malika ?

Cette question soudaine, à première vue insensée, le soufflette avec une telle force qu'il sursaute, la Stinger fait une embardée, son épaule se crispe lui arrachant un cri de douleur.

Son amour, mis au supplice depuis un mois, est-il encore capable de supporter tant de lassitude et de souffrance ?

Serait-ce le calcul secret de Malika ? Peu à peu l'épuiser, miner son amour, le détacher d'elle, comme par à-coups successifs le pêcheur fatigue le poisson pour le tirer sur la rive !

Tu déraisonnes, Al. Ton esprit est malade. Que vas-tu imaginer ? Rappelle-toi. Il y avait du désespoir dans le regard de Malika. Et Kristin l'a bien compris, Malika est incapable d'infliger une telle torture à quiconque.

Il l'aime. Il l'aime encore. Mais, pour une raison qui lui échappe, elle le condamne à rester jusqu'à la fin dans l'ignorance et à s'interroger dans l'angoisse.

Est-ce une épreuve qu'elle lui impose pour s'assurer de son amour ? Une épreuve dont elle serait le prix ?

Comme dans une course de moto avec un parcours abrupt et hérissé d'obstacles ?

Et si, après tant de va et vient, tant de tours et de détours, il se trouvait sur la dernière ligne droite ? Si tout d'un coup la ligne d'arrivée allait surgir devant lui ?

Jusqu'à la fin l'ignorance et l'angoisse, telle serait la règle du jeu fixée par Malika.

Il a depuis longtemps dépassé Bénarès et file sur la Grand Trunk Road. Il dégouline de sueur, il a soif et il souffre.

Telle serait aussi la règle du jeu : envers et contre tout espérer, croire. Croire, bien que tout paraisse absurde. Croire, bien que tout soit souffrance.

L'amour qu'il veut est peut-être à ce prix.

Il doit atteindre Barrackpore demain soir.

Il imagine la scène. Le juge, Malika, la Begum, peut-être son mari, sont assis dans la véranda, devant le fleuve. Il est dix heures du soir, les photophores sont allumés. Ils parlent à voix basse. Autour d'eux c'est l'obscurité, le silence. Soudain ils se taisent, figés, stupéfaits. Un homme est sorti de la nuit et se tient debout devant eux. Il est recru de fatigue, couvert de poussière et chancelle sur ses jambes. Cet homme, c'est lui, Al. Quelle est leur réaction ? Que pensent-ils ? Le juge ne réprime pas un geste de contrariété. Tout à la joie d'avoir retrouvé sa fille, il voudrait l'avoir pour lui seul, et voilà qu'un intrus se présente qui prétend parler à Malika et demande des explications et des comptes. La Begum s'est tassée dans son fauteuil. Sans doute sait-elle déjà qu'Al s'est introduit une seconde fois chez elle et qu'il a malmené son serviteur. Elle lui a menti, lui a joué la comédie. La confrontation risque d'être orageuse et du regard elle s'assure de la protection de son époux. Et Malika ? Malika qu'il ne quitte plus des yeux ? Comme à Bénarès, son visage exprime-t-il l'effroi et le désespoir ? La consternation ? Le défi ? L'amour ? La haine ? Oui, pourquoi pas, la haine ? Cela, il ne peut encore le savoir, l'imaginer. Jusqu'à la fin prévaudront l'ignorance et l'angoisse. Mais, à Barrackpore, il saura. Car Malika sera là, juste devant lui. Elle ne pourra pas fuir, il n'y aura pas d'échappatoire. C'est pour cela que, quoi qu'il advienne, quoi qu'il en coûte, il sera demain soir à Barrackpore. Pour la tenir sous son regard. Pour exiger. Pour savoir.

Au diable la dysenterie, les précautions prescrites par Aziz et les théières d'eau bouillante ! Il en est bien là ! Pour ne pas crever de soif il s'arrête dans un village, puis dans un autre, et, gémissant et claudiquant, va au puits, boit longuement, s'asperge le torse et le visage. Hébété, il remonte sur la Kawasaki, reprend la route. Terres calcinées ; souffle brûlant du vent, colonnes et tourbillons de poussière blanche. Il conduit maintenant dans une semi inconscience. Il ne sait plus qui guide la machine. Est-ce lui ? Un autre Al qui lui ressemblerait comme un frère ? Ou la machine elle-même qui a compris où elle doit aller ? Peu importe. La seule chose qui compte, c'est que la Stinger grignote les distances, vers l'Est, là-bas, en direction de Barrackpore qu'impérativement il faut atteindre demain soir.

Il a quitté la plaine, atteint les collines boisées qu'il a déjà traversées deux fois. Il roule, roule. Cette forme blanche, sur la gauche, serait-ce enfin le dak bungalow ? Oui, c'est lui. Il rassemble ses forces, quitte la Grand Trunk Road, s'engage dans le chemin cahotant, s'arrête devant l'entrée. Il veut descendre de la moto, mais voilà, c'est impossible. Son épaule et son bras droits, sa jambe gauche, paralysés, ne lui obéissent plus. Alors il reste là, à demi couché sur sa machine, incapable de bouger, apte seulement à souffrir.

Le gardien paraît sur le pas de la porte :

– Namaste, Sahib !

Al ne répond pas.

L'homme approche, regarde sous la visière du casque, voit ses yeux, recule, effrayé :

– Qu'y a-t-il, Sahib !

– Aide-moi, murmure Al.

L'homme le prend par les épaules. Al pousse un cri de douleur. L'homme se courbe, de ses deux bras lui enserre la taille, réussit à le faire basculer.

De sa main gauche Al veut enlever son casque. Il tremble tellement qu'il n'y parvient pas.

– Aide-moi, répète-t-il.

Le gardien le lui ôte. Il voit un visage livide, souillé de poussière et de sueur, des yeux hagards encerclés de cernes mauves.

– Que vous est-il arrivé, Sahib !

– Fatigue, murmure Al. Soif. Aide-moi.

Appuyé sur le gardien, il entre dans le dak bungalow.

– A boire. De l'eau.

Elle est tiède, fadasse.

– Dormir...

A petits pas ils vont dans une chambre. Al s'étend sur le lit, ferme les yeux, perd aussitôt conscience.

Il voulait repartir à l'aube, mais quand il se réveille et consulte sa montre, il voit qu'il est déjà neuf heures du matin. Avec précaution il bouge ses bras, ses jambes, les récupère. Ça va. Il se lève sans trop de difficulté, appelle le gardien, mais celui-ci est absent. Il va dans la salle d'eau, se lave, passe dans la cuisine. Il y trouve une jarre de lait qu'il boit toute entière. Le temps de poser un billet de cent roupies sur la table et en route. Il a tout juste la force de monter sur la moto.

La douleur revient, à l'épaule, au genou. Ça ne fait rien. Il a faim. Ça ne fait rien. Il mangera tout à l'heure, quand, le soleil à son zénith, il s'accordera une pause. La route. Son encombrement, ses cahots, sa poussière. Faire le plein d'essence. Aussitôt repartir.

A une heure de l'après-midi il s'arrête dans une bourgade, trouve un restaurant, commande du thé et des galettes. Il faut tenir. Tenir jusqu'à Barrackpore. Boire, manger, payer, se lever, s'étendre, dormir.

Un gros homme qui a l'air d'un marchand entre à son tour dans le restaurant et, lui tournant le dos, s'installe à une table voisine. Il ouvre un journal. Machinalement Al en lit le grand titre : " Mort soudaine de Malika, la célèbre danseuse de Kathak. "

Al se lève, livide. Il relit le titre, se demandant s'il est le jouet d'une hallucination. Il avance d'un pas, arrache le journal des mains du marchand. Celui-ci se dresse, offusqué, un cri de colère à la bouche. Mais il voit le visage d'Al, comprend que quelque chose de très grave se passe et, indécis, se tient coi. Al parcourt les trois lignes du texte : " La grande danseuse Malika, dont nous avions signalé la disparition, a été trouvée morte dans une chambre à Bénarès. La police et la famille ont été alertées. Nous apprenons en dernière minute que le corps est transféré par avion à Calcutta où habite le père de Malika, le célèbre Sir Justice Ganguli. "

Al reste un moment immobile, comme pétrifié. Puis il pose le journal sur la table, sort du restaurant et — il ne sent plus ni gêne ni fatigue — saute sur la Kawasaki.

A Calcutta. Vite. Très vite !

Démarrant comme un fou, il s'enfonce dans la plaine brûlante.

Je la tiens ! se dit-il. Cette fois, elle ne m'échappera pas. Je vais comprendre. Savoir !

Mais elle est morte.

Comment cela, morte ?

Oui, le journal le dit, elle est morte. Alors elle ne pourra pas te parler. Elle ne pourra pas t'expliquer. Une fois de plus ce sera le silence, l'absence. Une fois de plus elle te fuit !

Non. Elle sera là. Je la forcerai à parler. Il faudra bien qu'elle me réponde.

Elle ne pourra pas te répondre puisqu'elle est morte !

Comment serait-elle morte ? Est-ce que l'on meurt comme ça ? Un accident ? Le journal en aurait parlé. Alors, quoi ? Un suicide ? Un assassinat ? Quelqu'un l'aurait tuée ? Allons, allons, balivernes ! Une Malika ne se suicide pas. Et on ne tue pas une Malika ! Qui l'aurait tuée ? Pourquoi ? Le journal le dirait. Alors de quoi est-elle morte ? D'un arrêt de la vie, comme ça, tout simplement ? Ça ne tient pas debout !

Quoiqu'il en soit, elle ne te répondra pas puisqu'elle est morte.

Eh bien, les autres parleront. Le maître de danse. Desaï. Le juge. La Begum. Car ils seront là. Ils seront avec elle. Et je les forcerai tous à parler !

Et après ? Il reste que Malika est morte.

Oui, Malika est morte. Elle m'attend et je vais la rejoindre.

Malika est morte. Et moi aussi je vais mourir.

La Stinger avale les distances. Il conduit à toute allure, machinalement. Il ne voit rien, n'entend rien. Parfois des clameurs s'élèvent sur son passage, les hurlements apeurés ou furieux des gens qu'il a dispersés ou frôlés. Il n'en a cure. Il s'arrête une fois pour prendre de l'essence, sans boire ni marquer une pose. Son épaule et son genou sont insensibles. Une seule idée, une obsession : Malika est morte et m'attend. Je vais savoir. Et je vais la rejoindre dans la mort.

A huit heures du soir il atteint Barrackpore. La grande demeure est vide. Le gardien lui apprend que le juge et la Begum l'ont quittée dans la matinée pour accueillir à Calcutta le corps de Malika. Soit. Il repart pour Calcutta.

Le corps de Malika... C'est ainsi que l'on parle d'elle désormais ? L'expression est étrange. Cela semble signifier qu'il ne s'agit pas d'elle, mais de quelque chose différent d'elle qui lui appartenait et dont elle se serait dépouillée.

Le corps d'Al, dira-t-on bientôt.

Il est remonté sur la Kawasaki et traverse l'immense ville. Un monde de lumières, de silhouettes, de mouvements, de sons, bouge et bruit autour de lui, fantasmagorique, imprécis.

A aucun moment il ne s'y insère. Ce monde n'est pas réel. Il appartient peut-être au domaine du rêve. Une seule réalité : Malika l'attend.

Voici la maison du juge. Il s'arrête, la regarde. Malika est là.

Il tire la chaîne de la sonnette. Sohel vient ouvrir :

– Vous, Sahib !

Il pousse le portail de ses mains tremblantes :

– Par ici, Sahib.

Ils gravissent le perron, traversent le vestibule. Sohel ouvre une première porte, une seconde.

– C'est ici.

Il s'efface.

Al se trouve dans une vaste pièce qu'il ne connaît pas. Des lampes à huile dispensent une faible lumière. Un climatiseur ronronne. On sent une odeur d'encens. Ses yeux s'habituant à la pénombre, il distingue un catafalque. Malika est étendue sur un lit de fleurs. Des blocs de glace entourent sa couche. Ils s'égouttent lentement sur le sol.

Elle est belle. Aussi belle que lorsqu'elle était vivante. Sa chevelure noire entoure son visage qui est pâle, mais reposé et serein. Un sourire, qui paraît d'énigmatique bonté, joue sur ses lèvres. Ses mains sont croisées sur sa poitrine.

Enfin te voilà ! lui dit-il. Pourquoi es-tu partie ? Pourquoi me fuyais-tu ? Pourquoi m'as-tu fait souffrir ? Dis-moi. Je veux savoir. Tu vois bien que c'était inutile. A la fin des fins je t'ai rejointe et je vais rester avec toi. Dis-moi. Tu ne veux pas répondre ? Mais je saurai. Il faudra bien que tu parles, car maintenant je ne te quitterai plus. Tu ne pourras plus t'échapper. Je ne te lâcherai plus un seul instant.

Il ferme les yeux pour mieux se concentrer sur sa présence.

Quand il les rouvre il s'aperçoit qu'il n'est pas seul dans la pièce. Contre le mur, une forme humaine, le visage enfoui dans les bras, est écroulée sur le sol. Est-ce le juge ?

Al s'approche, se penche. Non, ce n'est pas le juge. Il croit reconnaître Ustad Vasudev Maharaj, le maître de danse. Ah, il va parler, celui-là ! Haineusement il l'agrippe par le col de son vêtement, le soulève. Monte vers lui une face blafarde, rongée par le chagrin et les larmes. Leurs yeux se rencontrent.

– Elle est morte, sanglote Vasudev. Et il se met à hoqueter car le vêtement que tire Al lui scie la gorge.

Al ouvre la main et Vasudev s'affale à nouveau sur le sol. Il y a tant de douleur dans ce corps écrasé qu'Al détourne la tête. Comment interroger cette loque ?

Mais je veux savoir ! Savoir ! Le juge ! Il faut que je voie le juge !

Il quitte la pièce, revient dans le vestibule, à partir de là s'oriente, trouve la bibliothèque. Le juge est assis, prostré, dans un fauteuil. Il lève la tête, reconnaît Al. Ses yeux se brouillent de larmes. Il a un geste désolé de la main :

– Mon oiseau blanc s'est envolé.

Un instant il garde un silence hébété, puis, comme si cette phrase surprenante ne suffisait pas, il ajoute :

– Mon beau fleuve s'en est allé. Il s'est jeté dans la mer.

C'en est trop. Al fléchit les genoux.

Le juge est retombé dans sa prostration. Il dodeline de la tête et murmure des mots sans suite. Al se relève. Il comprend l'inutilité de lui poser les questions qui lui brûlent les lèvres. Sir Justice Ganguli n'est plus qu'un vieillard sénile et accablé.

Mais il veut savoir ! Savoir ! Alors, qui ? Desaï ? La Begum ?

Sohel est dans le vestibule.

– Où est M. Desaï ?

– Il n'est pas encore arrivé, Sahib.

– Où est la Begum ?

– Elle veut vous voir. Elle a demandé si vous étiez là. Venez, Sahib.

Elle se retourne et lui fait face, la Begum, la femme qu'il déteste, quand il apparaît :

– Enfin ! Je vous attendais !

Elle lui tend une lettre :

– Ceci est pour vous.

Al ouvre l'enveloppe. C'est l'écriture de Malika :

" Mon bien-aimé, je ne voulais pas que tu me voies mourir. Je voulais que tu te détaches de moi. Tu ne l'as pas fait, et c'est pour moi une joie indicible. En te quittant je ne te demande qu'une chose : ne m'oublie pas, mais vis. Vis, je t'en supplie. Entièrement. De toutes tes forces. C'est notre destin et notre devoir ici-bas. Malika. "

Al lève les yeux, regarde la Begum. Ce n'est plus la même femme. L'amitié, la compassion ont adouci son visage.

– Elle vous aimait, dit-elle. Depuis Londres et Paris, où elle avait consulté, elle se savait condamnée à brève échéance. Ses migraines devenaient plus fortes et fréquentes. Elle est morte d'un anévrisme cérébral, comme sa mère sans doute. Notre médecine n'y peut rien. Sa lettre, qu'elle m'a fait lire, parle d'elle-même. Elle ne voulait pas que vous la voyiez mourir. Elle vous a fui pour que vous l'oubliez et recommenciez une autre vie. Vous étiez son souci constant. Lorsqu'elle a appris que vous étiez en Inde et la cherchiez, elle s'est ingéniée à vous échapper. Elle m'a demandé de protéger sa fuite, de vous mentir, de vous induire en erreur, de vous décourager. J'espère que vous ne m'en voudrez plus.

La Begum le salue et s'en va.

Tout est révélé, à présent. Tout est clair. Malika l'a fui par amour. Jusqu'au dernier moment elle l'a aimé. Elle l'aime encore. Oui, encore.

Sans savoir où il va, il erre dans la maison funèbre, où Malika est partout présente, au hasard d'une porte rentre dans la chambre mortuaire. Le maître de danse est toujours là, tassé sur le sol. Al s'assied près de lui et regarde Malika.

Maintenant, je sais, lui dit-il. Tu m'as répondu. Je comprends. C'est bon de comprendre, vois-tu. Moi, j'aurais préféré rester avec toi pour t'aimer et t'aider. Tu as cru bien faire. Ne parlons plus du passé. Je vais te retrouver et nous ne nous quitterons plus.

Les heures passent. Il a distancé la fatigue et la souffrance. Il pense à cet au-delà où s'est envolé l'oiseau blanc, à cet océan où se rejoignent tous les fleuves, où l'attend Malika. De temps en temps la porte s'ouvre. Sohel vient remplacer une veilleuse, apporte un bloc de glace. Ou bien c'est le juge. Il entre à petits pas hésitants, s'arrête devant le catafalque, hypnotisé le regarde, puis repart brusquement comme s'il était incapable d'en supporter la vue. La Begum est venue, elle aussi, et s'est assise dans un coin. La porte s'ouvre à nouveau. C'est Manju, la nourrice de Malika. Elle se prosterne devant le lit de fleurs, s'assied en tailleur et, se balançant d'avant en arrière, récite des prières. Son murmure emplit la pièce.

Au cœur de la nuit Al sursaute. Un serviteur qu'il n'a pas vu venir lui glisse à l'oreille :

– On vous demande au téléphone, Sahib.

La voix angoissée d'Aziz :

– C'est toi, Al ?

– Oui.

– Alors, mon pauvre vieux, c'est fini...

– Oui.

– Toi, comment vas-tu ? Rien à signaler ?

– Non.

Soupir de soulagement d'Aziz :

– Je me faisais du mauvais sang... Des idées... Je me demandais si...

– Si ?

– Si tu ne l'avais pas tuée !

– Aziz, tu es fou !

– Non. C'est toi qui l'es. Du moins qui l'étais... Le tour pendable que tu m'as joué à Lucknow...

– Je devais la revoir.

– Soit. Soit. Je comprends. Écoute. J'ai un ami à Calcutta. Il s'appelle S.D. Chatterjee et habite au numéro 18, Park Street. Tu te rappelleras ?

– J'écoute.

– Tu lui remets la Kawa. Il te donnera un billet d'avion pour Delhi. D'accord ?

– J'ai entendu.

– Tu verras, mon vieux, tu oublieras. Je t'attends. Je répète : je t'attends. Salut !

– Salut.

Il regagne la chambre mortuaire. Rien n'a bougé. Les autres sont là, silencieux, immobiles. Manju continue sa récitation monotone. Deux heures, trois heures passent. L'aube blanchit les fenêtres. Entre Desaï. Il contemple Malika, baisse la tête. Comme le juge il a soudainement vieilli. Il voit Al :

– Venez, souffle-t-il.

Ils sortent dans le jardin. C'est l'aurore. A l'est le ciel s'illumine de clartés blanches et dorées. Les oiseaux pépient. Les fleurs scintillent de rosée. C'est un matin magnifique. Un matin pour Malika.

– Je l'aimais, dit Desaï. Vous étiez mon rival et je vous haïssais. Tout est fini maintenant. Pardonnez-moi.

Il lui tend la main. Al la serre en silence. Ensemble ils regardent le ciel, le jardin, puis rentrent dans la chambre.

Il n'y a plus de soupçons, de reproches, de haine. Malika a tout apaisé. Dans cette pièce purifiée par la mort, toutes passions tues, quelques personnes sont rassemblées par la grâce d'une douleur partagée.

A dix heures le défilé public commence. Ils viennent, riches et pauvres, saluer une dernière fois la grande danseuse et leur file interminable s'allonge dans les rues voisines, encadrée par le service d'ordre. Ils s'arrêtent l'un après l'autre devant le catafalque, en signe de respect et de dévotion portent leurs mains jointes à leur visage, s'en vont.

A midi la Begum conduit Al dans une pièce où un repas est servi. Il refuse de toucher à la nourriture mais accepte une tasse de café. Il va dans le jardin, s'absorbe dans la contemplation d'une rose et, inexplicablement, se sent plus près de Malika.

– Al ?

Il se retourne. C'est Kristin.

– J'ai appris par les journaux, dit-elle. Je ne sais pourquoi, j'ai senti que je devais être ici.

Il lui sourit, puis l'oublie et regarde à nouveau la rose.

Le soir tombe. On ferme les portes. Le corps de Malika est placé dans un fourgon. Un cortège de quelques voitures se forme et part pour le champ crématoire.

Al enfourche la Kawasaki.

– Peux-tu m'emmener ?

C'est à nouveau Kristin.

– Monte, dit-il.

Il rattrape les voitures.

Le bûcher en bois de santal est prêt. Les prêtres attendent. A l'entour brûlent d'autres feux. Le corps de Malika est posé sur le bûcher et recouvert de bois. Les prêtres récitent des mantras, entonnent un hymne. L'un d'eux tend une torche au juge. Celui-ci, chancelant, s'avance et met le feu. Al se retient de crier.

Le brasier crépite et flambe. Des volutes de fumée s'en élèvent.

Plus tard, quand tout sera brûlé, le juge ramassera les cendres. Il montera dans la barque et les versera dans le Gange, à Barrackpore.

En quittant le champ crématoire Al heurte un homme assis près de l'entrée. C'est un ascète. Sa chevelure s'enroule en torsade sur son crâne, son front est strié de lignes blanches, il est vieux et d'une effrayante maigreur.

– Sahib, dit-il en tendant sa sébile.

Il ressemble à s'y méprendre à cet autre ascète rencontré sur la route de Simla. Son regard, à lui aussi, est vide.

Mais cette fois Al n'a plus peur. Malika lui a donné la force. Il sait qu'elle l'attend là où se rejoignent les rivières et les fleuves. Il sait qu'il n'y a pas de vide. Qu'il n'y en a pas pour lui en tout cas. Il va la rejoindre.

Il fouille dans ses poches, rassemble l'argent qui lui reste et le met dans la sébile.

Maintenant il n'a plus rien.

Il s'approche de la Stinger.

– Al, tu m'emmènes ?

C'est Kristin.

– Je ne peux pas.

– Pourquoi ?

– Je vais conduire très vite.

– Je préfère.

– Je vais conduire trop vite.

– Je le sais.

Al s'énerve :

– Tu ne veux pas comprendre ? J'ai dit "trop" vite.

– J'ai compris, Al. S'il te plaît, emmène-moi.

– Non !

La voix de Kristin devient stridente :

– Al, je t'en supplie ! Ne me refuse pas ! Si tu refuses, je trouverai un autre moyen !

Al a un geste excédé :

– C'est toi qui le veux ! Eh bien, monte !

Il quitte ce quartier populaire, au hasard prend une rue, puis une autre. Il atteint un faubourg industriel. Une avenue déserte s'étire entre des murs d'usines. Sur les côtés s'amorcent des rues transversales.

Cent cinquante, cent soixante, cent quatre vingt kilomètres à l'heure. Pauvre, cher Aziz, qui ne reverra plus sa moto ! Plus vite. Il doit aller plus vite.

Deux cents. Deux cent vingt.

Il se rappelle des virages célèbres, l'Eau rouge, la Parabolica, la Courbe de Cygne, l'anneau de Daytonna, qu'il fallait prendre à toute allure faute de se laisser distancer. Dans ce cas on calcule du regard la trajectoire idéale. Une trajectoire tendue à l'extrême, à la limite de la chute. Une trajectoire dont il ne faut pas dévier d'un pouce.

Ce dont il a besoin cette nuit est beaucoup plus simple. C'est la trajectoire impossible. Il lui suffit de pousser encore la vitesse et de tourner à angle droit dans une rue. Projection fatale sur un mur. Terminé.

Deux cent trente. Deux cent quarante.

Al, Al, que fais-tu ?

Je me hâte. Je viens te rejoindre.

Maintenant ?

Oui, bien sûr.

Al, ce n'est pas possible. Tu dois vivre.

Je ne peux pas vivre sans toi.

Tu me retrouveras, certes. Mais à ton heure. Al, faut-il toujours que je te ramène sur terre ?

Je ne peux pas attendre ! Je veux être avec toi ! A présent ! Tout de suite !

Mon dieu, que tu es fougueux, impatient, brutal ! Mais tu dois attendre. Les rivières et les fleuves suivent leur pente, ils ne peuvent à volonté précipiter leur cours. Et cette femme accrochée à ton dos, que vas-tu en faire ? Tu n'as pas le droit de la tuer.

Elle le veut !

Peut-être. Mais elle doit, elle aussi, attendre. Tu l'as prise en charge, tu dois t'occuper d'elle.

Malika, je t'en prie, que veux-tu que j'en fasse !

C'est peut-être elle qui t'aidera à vivre. Qu'en sais-tu ? Al, il faut m'obéir.

Non ! Non ! Je ne peux pas vivre sans toi ! La vie m'est insupportable !

Tu vas vivre, Al. Il le faut. Je le veux. Tu entends ?

Il obéit.

Achevé d'imprimer en octobre 1996
sur les presses de la Nouvelle Imprimerie Laballery
58500 Clamecy

Dépôt légal : octobre 1996
Numéro d'impression : 610009

Imprimé en France